Mon Premier Larousse des DINOSAURES

Conception et rédaction : Benoît **Delalandre**

ILLUSTRATIONS

Ronan **Badel**

Robert **Barborini**

Benjamin **Chaud**

Nathalie **Choux**

Vincent **Desplanche**

Pronto

Anne **Wilsdorf**

Illustration de couverture : Benjamin **Chaud**

Direction artistique : Frédéric **Houssin** & Cédric **Ramadier**
Conception graphique & réalisation : **DOUBLE**

Conseil scientifique : Éric **Mathivet**
Édition : Marie-Claude **Avignon** / Brigitte **Bouhet**
Direction éditoriale : Françoise **Vibert-Guigue**
Direction de la publication : Isabelle **Jeuge-Maynart**
Lecture-correction : Isabelle **Trévinal** / Henri **Goldszal**
Fabrication : Nicolas **Perrier**

Mon Premier Larousse des DINOSAURES

LAROUSSE

Il y a très très longtemps, sur notre planète, à l'endroit
où nous marchons, où nous nageons, où nous mangeons,
marchaient, nageaient et mangeaient les dinosaures.
Nous, les humains, nous sommes les maîtres du monde
d'aujourd'hui. Nous nous donnons le droit de vie et de mort
sur tout ce qui vit sur notre planète. Il y a une époque
où les maîtres du monde étaient... les dinosaures.

SOMMAIRE

Introduction 4-5
Sommaire 6-7

8-19

1. LES TROIS VIES DE LA TERRE

La vie ancienne
La conquête de la terre ferme 10-11
Le temps des reptiles 12-13
La vie du milieu
La planète se transforme 14-15
Le règne des dinosaures 16-17
La nouvelle vie
Le temps des mammifères 18-19

20-33

2. LES CHASSEURS DE FOSSILES

Des dragons ou des géants? 22-23
Les découvreurs 24-25
C'est comment un fossile? 26-27
Un chantier de fouilles 28-29
Que racontent les fossiles? 30-33

34-47

3. LES DINOSAURES

Qu'est-ce qu'un dinosaure? 36-37
Herbivores et carnivores 38-39
Comme dans la savane 40-41
Sur 2 ou 4 pattes? 42-43
À sang chaud ou à sang froid? 44-45
1 000 espèces 46-47

48-69   LA VIE DU MILIEU

4. LE TRIAS

Les derniers amphibiens	**50-51**
Les reptiles primitifs	**52-53**
Les archosaures	**54-55**
Les descendants des archosaures	**56-57**
Le premier dinosaure	**58-59**
Les dinosaures débutants	**60-63**
Les premiers mammifères	**64-65**
Dans les océans	**66-67**
La place est libre pour les dinosaures	**68-69**

70-95   LA VIE DU MILIEU

5. LE JURASSIQUE

Les «Longs Cous»	**72-73**
Des traces dans la roche	**74-75**
Un poulet avec des dents	**76-77**
Des plumes dans le ciel	**78-79**
Les mangeurs de forêts	**80-81**
Un petit bien à l'abri	**82-83**
Un petit maintenant bien seul	**84-85**
Sale temps pour le tueur	**86-87**
Le lézard qui fait trembler la terre	**88-89**
La terreur des mers	**90-91**
Apprendre à pêcher	**92-93**
Chasseurs sous-marins	**94-95**

96-143   LA VIE DU MILIEU

6. LE CRÉTACÉ

Un concert dans la plaine	**98-99**
Les charognards	**100-101**
Une bonne mère	**102-103**
La meute en chasse	**104-105**
Un coup de boule	**106-107**
Le combat immobile	**108-109**
La forteresse	**110-111**
Chasseur de chasseurs	**112-113**
La nuit des petits chasseurs	**114-115**
Coup de bélier	**116-117**
Terrible Bambi	**118-119**
La grande migration	**120-121**
La prairie en fleurs	**122-123**
Un sourire de crocodile	**124-125**
Drôle de voleur d'œufs	**126-127**
Poignards contre cuirasse	**128-129**
Des œufs sur la plage	**130-131**
Alerte à la termitière	**132-133**
Dans les terres froides	**134-135**
La mer rouge	**136-137**
Le paradis des lézards	**138-139**
La mort venue du ciel	**140-141**
La fin du monde	**142-143**

144-151

7. LA NOUVELLE VIE

Les nouveaux maîtres	**146-147**
Les survivants	**148-149**
Voici ton ancêtre	**150-151**
Les records des dinosaures	**152-153**
Du plus petit au plus grand	**154-159**
Index	**160**

1
LES TROIS VIES DE LA TERRE

L'histoire de la vie sur Terre est divisée en trois grands épisodes. Les deux premiers épisodes commencent et se terminent par un cataclysme.
Les êtres vivants ont dû s'adapter à ces bouleversements.
Aujourd'hui, nous sommes toujours dans la nouvelle vie.

Premier épisode :
le paléozoïque, c'est « **la vie ancienne** ».

Deuxième épisode :
le mésozoïque, c'est « **la vie du milieu** ».
C'est le temps des dinosaures.

Troisième épisode :
le cénozoïque, c'est « **la nouvelle vie** ».

La conquête de la terre ferme

Le premier être vivant à sortir de l'eau est une plante.

La première plante terrestre n'a ni fleur, ni feuille, ni véritable racine. C'est une **simple tige** verte. Puis elle se multiplie et ses descendantes se modifient.

Des **racines** poussent pour puiser l'eau du sol et résister au vent, des **feuilles** apparaissent pour capter l'énergie du soleil. Toutes sortes de plantes envahissent peu à peu tous les endroits de la Terre.

Toute cette nourriture végétale qui pousse sur la terre ferme incite les animaux marins à sortir le nez de l'eau. D'abord, il y a les **insectes**. Il y a tant à manger qu'ils deviennent énormes.

Les **blattes** et les **mille-pattes** se disputent les plantes pourrissantes. Dans l'air brumeux, d'immenses **libellules** chassent en plein vol. Il y a aussi de gros **scorpions** qui rampent sur le sol à la recherche de proies.

Des **poissons** aventuriers montent à l'assaut des plages. Leurs nageoires se transforment en pattes, leurs branchies en poumons. Ils deviennent des **amphibiens**.

La vie ancienne

Le temps des reptiles

Les reptiles sont mieux adaptés que les amphibiens à la vie sur la terre ferme car ils peuvent vivre loin de l'eau.

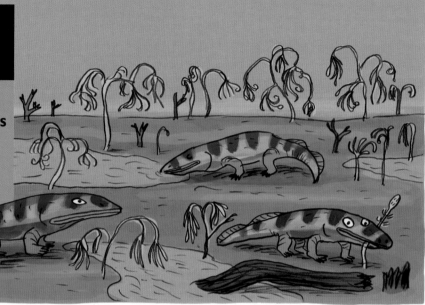

Les **amphibiens** ont besoin de vivre **à côté** de l'eau : leur **peau** est **fragile**, elle sèche au soleil et, comme les poissons, ils continuent à **pondre dans l'eau**.

La **peau** des **reptiles** est couverte d'**écailles**. Elle les **protège** mieux et ne se déssèche pas hors de l'eau. Ils pondent leurs œufs sur le sol car ils sont protégés par une coquille dure. Les reptiles peuvent donc s'éloigner de l'eau et **vivre dans tous les milieux**.

Pendant des millions d'années, les **reptiles** sont les **maîtres** des forêts, des mers et des airs.

Puis un grand **cataclysme** survient, les volcans crachent le feu, le climat change brusquement. Presque tous les animaux disparaissent.

C'est la fin de la vie ancienne.

La vie du milieu

La planète se transforme

Pendant la vie du milieu, le climat et la végétation changent ; les reptiles s'adaptent.

La planète de **la vie du milieu** est très **différente** de celle d'aujourd'hui.

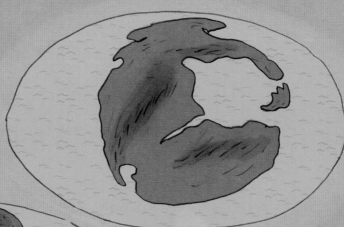

1. Il n'y a d'abord qu'un seul continent, la **Pangée**, au milieu d'un océan immense, le **Panthalassa**.

2. Puis, très lentement, ce continent se casse en **deux** gros **blocs**.

3. Puis les deux blocs se séparent, formant **cinq continents** et séparant les dinosaures.

Pendant que tu lis ces lignes, les **continents** continuent à **dériver** lentement, de quelques centimètres par an… Dans des millions d'années, ils se réuniront peut-être pour former à nouveau un seul continent géant !

La vie du milieu, c'est le temps des dinosaures. Elle est divisée en trois périodes.

1. La première période de la vie du milieu s'appelle le **trias**.

2. La deuxième période de la vie du milieu s'appelle le **jurassique**.

3. La troisième période de la vie du milieu s'appelle le **crétacé**.

Le règne des dinosaures

Les dinosaures ont vécu très très longtemps, mais pas tous en même temps. Comme toutes les espèces d'animaux ou de plantes, les dinosaures ont évolué. Certains deviennent plus grands, plus forts, plus malins.

éoraptor

LE TRIAS

platéosaure

coelophysis

stégosaure

diplodocus

LE JURASSIQUE

brachiosaure

ankylosaure

corythosaure

tyrannosaure

LE CRÉTACÉ

vélociraptor

tricératops

La vie du milieu se termine par un nouveau cataclysme.
Tous les dinosaures vont mourir.

La nouvelle vie

Le temps des mammifères

Parmi les rescapés du cataclysme formidable qui a secoué la Terre à la fin de la vie du milieu, il y a les mamifères. La nouvelle vie est dominée par les mammifères. Beaucoup ont disparu à leur tour.

Les oiseaux sont les seuls descendants des dinosaures.

Mégacéros est un cerf géant.

Smilodon est un tigre aux dents de sabre.

Brontotherium est un parent éloigné du rhinocéros.

poisson

Éohippus est le premier cheval.

Plesiadapis ressemble aux lémuriens actuels.

Archaeotherium est un lointain cousin des sangliers.

Alphadon est un marsupial, comme le koala.

Purgatorius est un ancêtre des singes.

blatte

reptile

Andrewsarchus a une mâchoire de carnivore.

Indricotherium est le plus grand mammifère terrestre ayant jamais existé.

Mammouth est un cousin disparu de l'éléphant.

Diatryma est un oiseau géant incapable de voler.

Megatherium est un cousin géant du paresseux.

Aujourd'hui, nous sommes toujours dans la nouvelle vie. Certaines espèces, qui vivaient au temps des dinosaures, ont survécu.

des oiseaux

des insectes

des poissons

des serpents

des tortues

des reptiles

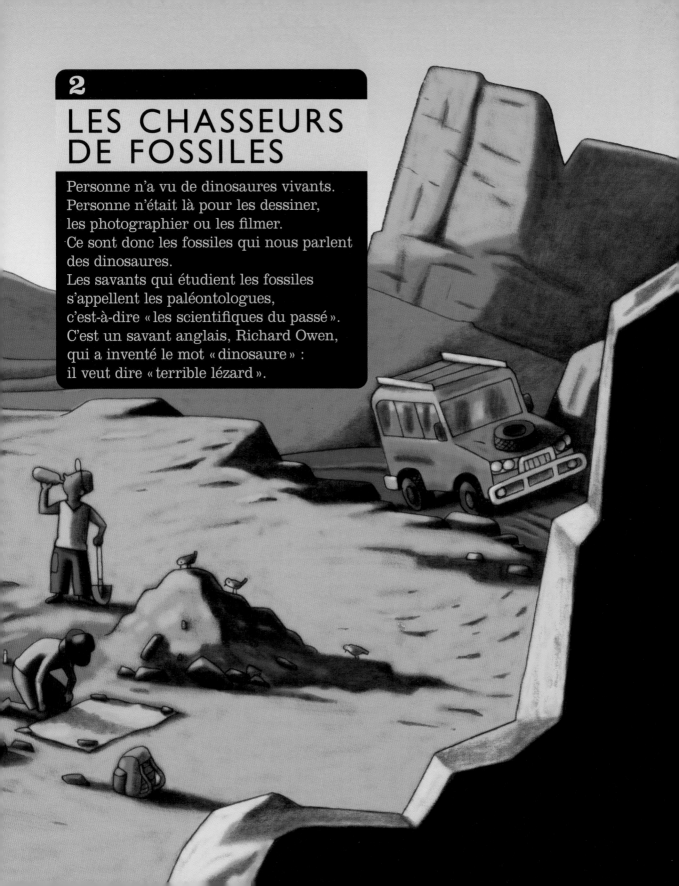

2 LES CHASSEURS DE FOSSILES

Personne n'a vu de dinosaures vivants.
Personne n'était là pour les dessiner,
les photographier ou les filmer.
Ce sont donc les fossiles qui nous parlent
des dinosaures.
Les savants qui étudient les fossiles
s'appellent les paléontologues,
c'est-à-dire « les scientifiques du passé ».
C'est un savant anglais, Richard Owen,
qui a inventé le mot « dinosaure » :
il veut dire « terrible lézard ».

Des dragons ou des géants ?

Au cours des siècles, ça et là, les hommes ont trouvé dans le sol de grands os. Ils se demandaient à quels êtres fabuleux ils appartenaient.

En Chine, on pensa évidemment que c'était des os de **dragon**. On disait : « Le dragon a monté la montagne, puis il s'est envolé. Mais la porte du ciel était fermée, alors il est retombé et ses os se sont enfouis dans la terre. »

En Angleterre, quand on trouva le premier os,
on crut que c'était celui d'un **géant**.

En Amérique, en découvrant de grandes empreintes de pas,
on imagina qu'il s'agissait d'**oiseaux gigantesques**.

Les découvreurs

En 1820, un médecin anglais, Gideon Mantell, découvre un tas d'os et de dents dont une, très grande.
Il remarque que les dents ressemblent à celles de l'iguane, un lézard géant d'Amérique tropicale.

Gideon Mantell appelle alors son animal inconnu **iguanodon** : «Celui qui ressemble à l'iguane ».

Avec les os, Gideon Mantell reconstitue le **squelette** de l'iguanodon.

Voici comment il l'imagine : un **iguane géant** portant une **corne** sur le museau.

Quand on a découvert des squelettes entiers d'iguanodon, on a compris que la «corne» était en fait une «pointe» sur la main. L'iguanodon devient un **dragon** qui se tient debout **appuyé** sur sa **queue**.

Aujourd'hui, on pense que l'iguanodon marchait à **quatre pattes**, la queue relevée. Demain, on lui trouvera peut-être d'autres habitudes !

Chaque année, on trouve des os de dinosaures partout dans le monde. Un jour peut-être, tu es passé au-dessus d'un « Long Cou ».

C'est comment un fossile ?

Un fossile, c'est ce qui reste d'un animal ou d'une plante très très longtemps après sa mort.

Imaginons que, au temps des dinosaures, «Long Cou» se baigne dans une rivière. Un orage éclate. Une énorme vague descend la rivière. Elle est chargée de boue et de sable.

Le dinosaure se noie, il tombe au fond de l'eau. La boue le recouvre peu à peu.

Sa **peau** et sa **chair** se **décomposent**. Il ne reste bientôt que ses os et ses dents.

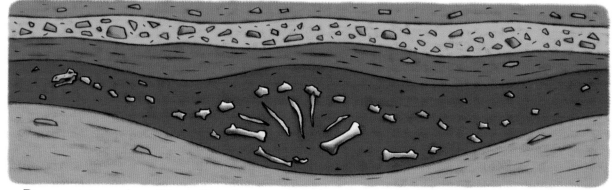

Des **centaines de milliers d'années** ont passé. La boue et le sable se sont transformés en roche, les os et les dents du dinosaure aussi ; ce sont des **fossiles**.

Bien plus tard,
les mouvements de la Terre
ramènent cette roche
près de la surface du sol.

Pendant des milliers
d'années, le vent et la pluie
usent la roche ; c'est ce
qu'on appelle l'**érosion**.

Un jour, le crâne
du dinosaure fossile
commence enfin
à **apparaître**.

Tu passes par là, tu butes, tu tombes,
tu râles. Si tu savais ce qu'il y a **en dessous**
de toi !

Tu creuses un peu et tu découvres
que le **caillou a des dents**…
et tu préviens les paléontologues.

Un chantier de fouilles

Les fossiles sont rares et précieux. Le travail sur un chantier de fouilles est très minutieux. Ce tas d'os retrouvé, c'est un puzzle. Mais il n'y a pas le modèle sur la boîte !

Les **paléontologues** dégagent les fossiles avec beaucoup de précaution. Avant d'emporter le squelette, ils dessinent sur un plan la position de chaque os. Puis, ils les enveloppent de plâtre : ils sont ainsi bien protégés avant d'être transportés.

Au **laboratoire**, on casse doucement les coques de plâtre.

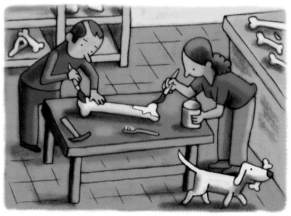

Les os sont **nettoyés**, puis **enduits de résine** pour les durcir et les protéger. On recolle les morceaux d'os cassés.

Le paléontologue sait reconnaître la plupart des os : ceci est la **mâchoire**, et voici une **vertèbre**, mais laquelle ? Une vertèbre du **cou** ou de la **queue** ?

En s'aidant du plan, on reconstruit le squelette du dinosaure avec des os en plastique obtenus par **moulage**.

En comparant avec les animaux d'aujourd'hui, **on imagine** les muscles et les autres organes. Il ne reste plus qu'à le couvrir de peau et à choisir une couleur.

Enfin, il faut lui donner un **nom scientifique** souvent inspiré par son **anatomie** ou son comportement supposé, comme ce cétiosaure dit « Lézard Baleine » parce qu'on pensait qu'il vivait dans l'eau.

Que racontent les fossiles ?

C'est grâce aux fossiles
que l'on peut imaginer
comment vivaient
les dinosaures,
ce qu'ils mangeaient et
comment ils sont morts…

Que racontent les os ?

Certains os portent des **marques** de dents.

D'autres, des **traces** de fractures.

On a retrouvé des os qui étaient bien **usés**.
Ce sont ceux de vieux dinosaures.

Que racontent les dents et les griffes ?

Des dents en forme de poignard
et des griffes longues et crochues :
c'est un **carnivore**.

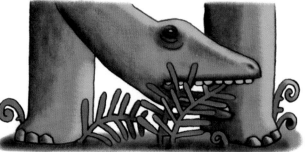

De petites dents aplaties et des griffes
arrondies ou des sabots :
c'est un **herbivore**.

Que racontent les crottes ?

Elles contiennent des **restes de repas** : des graines, des arêtes, des petits os, des pommes de pin… Les restes renseignent les paléontologues sur la nourriture de leur propriétaire.

Que raconte la peau ?

Les **écailles**, les **cicatrices**, mais il faut imaginer la couleur.

Que racontent les œufs ?

Les dinosaures pondaient des gros œufs : ces œufs avaient une coquille dure, comme ceux des oiseaux d'aujourd'hui.

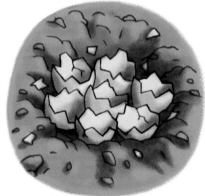

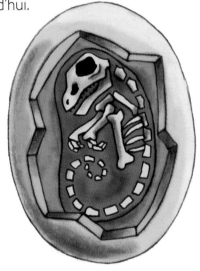

Un nid rempli de **coquilles** d'œuf réduites en **miettes** signifie que les petits sont restés longtemps au nid et qu'ils ont piétiné leurs coquilles.

Si les **coquilles** sont presque **intactes**, c'est que les petits ont tout de suite quitté leur nid. Ils devaient donc se débrouiller tout seuls.

On a aussi trouvé des **œufs entiers** contenant le squelette du bébé dinosaure.

Que racontent les empreintes ?

Comme une mouette sur la plage ou un sanglier dans la forêt, les dinosaures laissaient des **traces sur le sol**. Ces empreintes permettent de savoir beaucoup de choses.

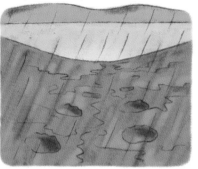

Les **empreintes** sont profondes et rapprochées : c'était un animal lourd qui marchait lentement, un « Long Cou ».

La pluie a rempli les traces de sable ou de vase qui, en durcissant, ont préservé les empreintes.

Le sable et la vase se sont fossilisés avec les traces de pas du « Long Cou ».

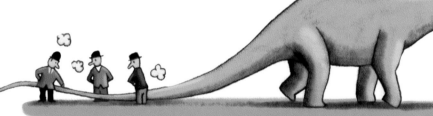

Les premiers paléontologues ont imaginé que la **queue** des dinosaures **traînait par terre**.

On se rendit compte plus tard, en observant les empreintes, que la queue ne laissait pas de traînée dans le sol, c'est donc qu'elle **ne touchait pas le sol**.

Les **traces** sont très nombreuses : les dinosaures vivaient en troupeau.

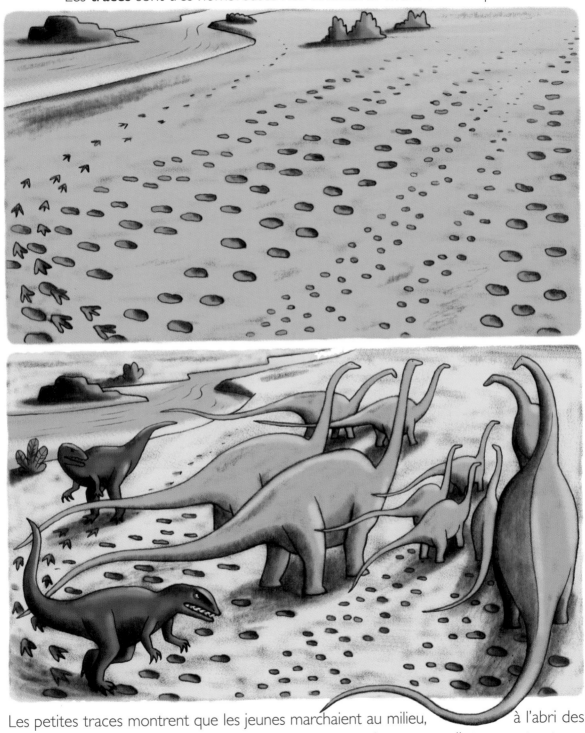

Les petites traces montrent que les jeunes marchaient au milieu, à l'abri des prédateurs. D'ailleurs, les voilà. Ils n'osent pas attaquer le troupeau, ils tournent autour.

3
LES DINOSAURES

Pendant 180 millions d'années, tous
les gros animaux qui vivent sur la terre
ferme sont des dinosaures.
Il y en a de toutes sortes. Certains sont
gros comme des poulets, d'autres grands
comme des maisons. Certains sont
des mangeurs de plantes ; d'autres,
des mangeurs de viande. Certains sont
solitaires, d'autres vivent en troupeau.

Qu'est-ce qu'un dinosaure ?

Tous les dinosaures ont quatre pattes, un corps, une tête et une queue. Leur peau est couverte d'écailles. Ce sont des reptiles terrestres.

Les autres reptiles **se traînent** au ras du sol car ils ont les **pattes** placées **sur les côtés**. Les pattes du **dinosaure** sont dressées sous son corps. Il peut donc **marcher** et **courir** avec **agilité**, même s'il est très lourd.

Comme tous les reptiles, le **dinosaure pond** des œufs : il est **ovipare**.

Le **dinosaure grandit** toute sa vie.

Il y a des dinosaures à tête **lisse** ou **cornue**…

… à queue en **massue** ou en **pique**…

… à **crêtes** sur le crâne, à **voile** sur le dos.

Mais de quelle couleur sont-ils ?

Personne ne le sait, car les fossiles ont la couleur de la roche.
Les paléontologues laissent aller leur **imagination** en observant les reptiles d'aujourd'hui.

Certains étaient sûrement très **colorés**, comme les lézards, pour **effrayer** les prédateurs.

D'autres avaient la couleur des arbres pour mieux s'y **cacher**.

Certains mâles devaient avoir des **couleurs vives** pour **séduire** les femelles.

Herbivores et carnivores

Un herbivore mange des végétaux : des feuilles, des graines, des fruits…
Un carnivore mange des animaux : des insectes, des poissons et des herbivores…

Certains dinosaures **herbivores** sont les plus grands animaux ayant marché sur Terre. Les herbivores vivent souvent en **troupeau** pour se défendre contre les prédateurs. Les **petits** herbivores ont souvent des becs pour **couper** les plantes robustes comme les fougères et des dents plates pour les broyer. Les **grands** dinosaures herbivores **broutent** les feuilles des arbres et les avalent sans les mâcher.

giganotosaure

brachiosaure
2

ankylosaure
3

pentacératops
4

hypsilophodon
1

Les herbivores ont plusieurs moyens de défenses contre les carnivores :
1 la fuite **2** la taille **3** les protections **4** les armes.

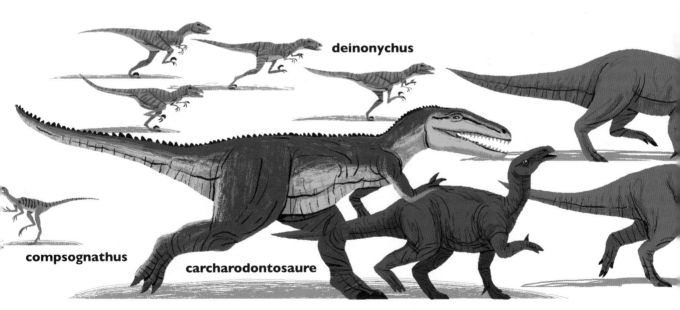

deinonychus

compsognathus

carcharodontosaure

Les petits **carnivores**, comme le **compsognathus**, se nourrissent de tout ce
qui est suffisament petit pour entrer dans leur bouche. Ceux de taille moyenne
comme le **deinonychus**, chassent **en bande**. Les grands fauves,
comme le **carcharodontosaure** chassent **en solitaire**.

3 LES DINOSAURES

Comme dans la savane

La vie des dinosaures ressemble à celle des animaux d'aujourd'hui. Les herbivores se partagent les plantes. Les prédateurs chassent les herbivores.

1 Comme l'autruche…

2 Comme les oiseaux…

3 Comme les buffles…

4 Comme les rhinocéros…

5 Comme les lionnes…

6 Comme l'éléphant…

7 Comme la girafe…

8 Comme l'antilope…

9 Comme le crocodile et l'hippopotame…

10 Comme les hyènes…

1 ... le gallimimus court vite.

2 ... les ptérosaures volent.

4 ... les centrosaures s'affrontent.

3 ... les tricératops vivent en troupeau.

5 ... les deinonychus chassent en bande.

7 ... le brachiosaure broute le sommet des arbres.

6 ... le cétiosaure arrache les branches.

8 ... l'edmontosaure mange les feuilles basses.

... le baryonyx et le placérias se baignent au marigot.

9

10 ... les ornitholestes se nourrissent de cadavres.

41

Sur 2 ou 4 pattes ?

**Les quadrupèdes marchent
sur quatre pattes.
Les bipèdes marchent
sur deux pattes.**

Les lourds herbivores sont toujours des **quadrupèdes** :
leur corps a besoin de 4 piliers pour les porter. Leurs 4 pieds sont identiques.
Ils ont des doigts très écartés pour soutenir leur poids.

Les herbivores moins lourds marchent tranquillement à 4 pattes, mais ils peuvent
se **mettre debout** pour atteindre les branches hautes ou pour fuir plus vite.

Sur 2 pattes, on court **plus vite**.
Comme on est droit, on voit **plus loin**.

Et on garde les **mains libres**.
C'est pratique pour tenir les proies.

Pratique !

L'iguanodon a une main à tout faire : le grand éperon de la main sert d'arme, les 3 doigts du milieu sont terminés par des sabots pour marcher et le 4e doigt, mobile, peut saisir la nourriture.

L'inconvénient, lorsque l'on court sur 2 pattes, c'est qu'à grande vitesse un faux pas et patatras ! Le **tyrannosaure** n'a même pas de bras solides pour **amortir** sa chute.

À sang chaud ou à sang froid?

Tous les mammifères et les oiseaux ont le sang chaud. C'est-à-dire qu'ils maintiennent toujours tiède leur corps.
Avoir le sang chaud permet d'être actif tout le temps.
Les reptiles d'aujourd'hui ont le sang froid, c'est-à-dire que leur corps a la même température que l'air ou l'eau qui l'entoure.

Pour que le corps garde sa **température tiède**, il doit être couvert d'un manteau : doudoune pour toi, poils et plumes pour les autres.

Pour être **actifs**, les reptiles à sang froid d'aujourd'hui comme les lézards ou les serpents doivent **se chauffer** longtemps au soleil.

Les dinosaures sont des **reptiles**, mais certains se comportent pourtant comme des «**Sangs chauds**» : ils sont toujours actifs, ils courent sur de longues distances, ils chassent la nuit. On imagine même que certains dinosaures sont couverts de **plumes** comme les oiseaux.

Peut-être y avait-il des dinosaures **à sang froid** et d'autres **à sang chaud** ?
On ne sait toujours pas ! Le **leaellynasaura**, par exemple, vivait près du pôle Sud où l'hiver est long et glacé. S'il avait eu le sang froid, il aurait **gelé**.

1000 espèces

On connaît plus de 1000 espèces de dinosaures et on en découvre de nouvelles chaque année.

TRIAS
245 à 205 millions d'années

STÉGOSAURES

ANKYLOSAURES

ORNITHOPODES

À partir du premier dinosaure, qui vivait il y a 245 millions d'années, deux grands groupes se sont formés. On les distingue par la forme de leurs bassins.

platéosaure

Les ornitischiens
(bassin d'oiseau)
Leur bassin ressemble à celui des oiseaux.
Ils sont tous herbivores.

PROSAUROPODES

Les saurischiens
(bassin de lézard)
Leur bassin ressemble
à celui des lézards.

éoraptor

THÉROPODES

coelophysis

Et pourtant, les oiseaux, qui sont les seuls descendants des dinosaures, sont issus des saurischiens !

stégosaure

ankylosaure

camptosaure

iguanodon

hadrosaure

PACHYCÉPHALOSAURES

pachycéphalosaure

leaellynasaura

CÉRATOPSIENS

diplodocus

brachiosaure

tricératops

SAUROPODES

allosaure

ALLOSAURES

tyrannosaure rex

TYRANNOSAURES

mononykus

OISEAUX

LE TRIAS

La vie du milieu commence avec
le trias. La planète est dévastée.
Les plantes et les animaux
ont presque tous disparu.
Mais, peu à peu, la vie
va renaître.
Et les survivants vont
à nouveau coloniser la terre,
la mer et le ciel.

Au début du trias,
il fait très chaud.
Le centre de l'immense
continent Pangée n'est
qu'un grand désert.
Puis des montagnes s'élèvent
peu à peu et des rivières
coulent de ces montagnes.

Cette eau amène la vie dans le désert. Les grandes prairies se couvrent de fougères et de mousses.

Dans les forêts poussent des conifères
et des prêles géantes.

Les petites bêtes sont les premières
à se multiplier.

Quelques gros animaux ont survécu après le cataclysme qui termine la vie ancienne :
des amphibiens et des reptiles qui eux aussi se multiplient et se transforment.

Les derniers amphibiens

Au début du trias, la vie s'organise autour de l'eau. Parmi les survivants de la vie ancienne, il y a des reptiles et des amphibiens. Ils barbotent, nagent ou pêchent tranquillement sur les plages et dans les marais.

Voici **Mastodonsaurus**, un gros amphibien. C'est une femelle. Ellle vient de pondre un **amas d'œufs** entre les branches de l'arbre mort. Les œufs sont entourés de gelée. Deux **poissons cuirassés** ont déjà prévu d'en faire leur déjeuner.

Mais Mastodonsaurus les a vus et… elle adore le poisson.

Triadobatrachus est un amphibien. Il ressemble à une grenouille, mais ses pattes arrière ne sont pas encore assez musclées pour sauter. Il observe avec gourmandise l'araignée immobile. Il hésite car elle est tout de même un peu grosse pour lui.

Les gros **reptiles**
aiment bien se réchauffer
sur la terre ferme.

Les amphibiens

Amphibien signifie « double vie », la vie dans l'eau et la vie sur terre. Les amphibiens peuvent respirer de l'air avec leurs poumons. Mais ils doivent vivre près de l'eau, sinon leur peau se dessèche. Leurs œufs n'ont pas de coquille : ils doivent pondre dans l'eau.

Les amphibiens d'aujourd'hui sont les salamandres et les tritons qui se déplacent en se tortillant et les crapauds et les grenouilles qui font des bonds.

Les reptiles primitifs

Au cours du trias,
les reptiles deviennent
de plus en plus nombreux.
Ils ont un énorme avantage
sur les amphibiens :
ils ne sont pas obligés
de vivre au bord de l'eau.

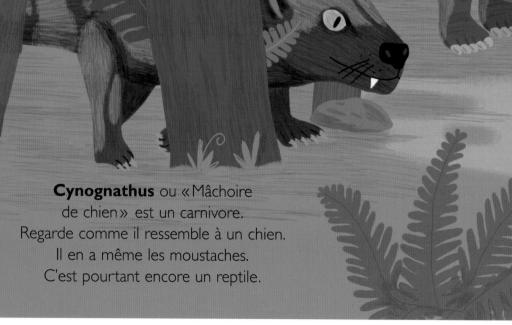

Cynognathus ou «Mâchoire
de chien» est un carnivore.
Regarde comme il ressemble à un chien.
Il en a même les moustaches.
C'est pourtant encore un reptile.

Les **lystrosaurus**
sont très nombreux.
Celui-ci voudrait bien
arracher les racines
de ce buisson.

Les reptiles

Les reptiles ont des écailles
sur la peau qui les protègent
contre le dessèchement :
ils peuvent vivre loin de l'eau.
Leurs œufs sont protégés par
une coquille. Ils peuvent donc
les pondre à terre.

Les reptiles d'aujourd'hui sont
les crocodiles, les tortues,
les serpents et les lézards.
Les serpents sont des lézards
qui ont perdu leurs pattes.

Les archosaures

Nous sommes au milieu du trias. Certains reptiles, mieux adaptés que d'autres, vont prendre le pouvoir : ce sont les archosaures ou «Lézards dominants». Pourquoi vont-ils être les plus forts ?

Chasmatosaurus   Erythrosuchus   Euparkeria

Parce qu'ils sont plus rapides : ils ont cessé de traîner le ventre sur le sol. De vigoureuses **pattes** sont bien utiles pour être de grands chasseurs !

Chasmatosaurus
C'est un «Lézard dominant».
Il passe son temps dans l'eau à croquer les poissons. Il ressemble à un crocodile avec ses pattes écartées.

Erythrosuchus
Lui, il en a assez de rester dans l'eau toute la journée à attendre les proies.
Il part en chasse, à terre.

Postosuchus ou «Crocodile qui court»

Voilà le seigneur ! Il court vite avec ses **pattes** presque droites sous son corps.
Sa proie préférée, c'est le dodu **placérias**. Postosuchus connaît bien ce troupeau de
reptiles qui vit sur son territoire de chasse. Il ne quitte pas des yeux cette grosse femelle
restée à l'écart du troupeau.

Euparkeria

Regarde bien ce petit archosaure. Il **se lève** sur ses pattes arrière ! Ainsi, il garde
les **mains libres** pour attraper ses proies et les porter à la bouche.
Comme il court très vite, il échappe facilement aux lourds prédateurs de l'époque.
À le regarder, on sent que les dinosaures ne sont pas loin.

Les descendants des archosaures

Les « Lézards dominants » sont de grands conquérants. Déjà maîtres des terres, ils vont dominer les rivières et le ciel et engendrer les ptérosaures, les crocodiles et les dinosaures.

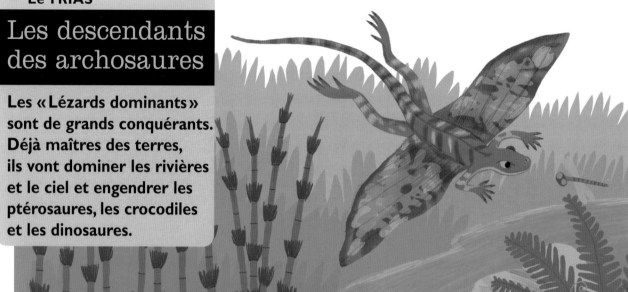

Des reptiles savaient déjà se propulser dans les **airs**.

Mais voici le premier « volant », le **ptérosaure Eudimorphodon**.
Ses ailes de peau, comme celles des chauves-souris sont attachées sur les flancs,
et soutenues par un quatrième doigt très long.

Les vrais crocodiles ne sont pas encore apparus, mais les **phytosaures**,
comme **Rutiodon,** leur ressemblent beaucoup !

Regarde bien ce petit animal dans les fougères. Il n'est pas bien gros.
Mais il est vif, rapide, agile et malin. C'est lui ! Le voilà enfin, le **premier dinosaure** !

Le premier dinosaure

Il s'appelle Éoraptor, le « Voleur de l'aube ». C'est l'un des tout premiers dinosaures connus. Un jour, ses descendants seront les maîtres du monde.

Les **jambes** d'**Éoraptor** sont bien droites sous son corps.
Il est très rapide.

Il a les **mains libres** pour attraper ses petites proies.

Ses **dents** sont fines et tranchantes.
Il est fait pour la chasse. C'est la terreur des fougères.

Tout ce qui bouge par terre est bon à manger.
Pour attraper le **mille-pattes** qui s'enfuit dans son trou, il suffit de **mordre** et de **tirer**.
Et pour chasser les petits reptiles, il faut être très **rapide**.

Éoraptor est encore bien petit.
Et même s'il est l'ancêtre du terrible
tyrannosaure, il **s'enfuit**
devant les gros prédateurs
comme **Ornithosuchus**.

Les dinosaures débutants

Les dinosaures vont peu à peu remplacer les archosaures, car ils sont moins lourds ou meilleurs chasseurs. Ils vont grandir et s'attaquer à toutes les proies.

Les premiers dinosaures carnivores sont encore assez **petits**, mais déjà bien armés de dents et de griffes.

Erythrosuchus est un gros archosaure, il est trop lourd. Il a du mal à se déplacer.

Procompsognathus ou « Avant Jolie Mâchoire » porte ce nom car il est l'ancêtre de **Compsognathus** ou « Jolie Mâchoire ».

Il est léger : ses os sont fins. Il court plus vite que les autres petits reptiles et les attrape facilement.

À cette époque, les herbivores broutent tout ce qui pousse sur le sol.
Mais voici qu'un gros reptile se dresse sur ses pattes arrière et tire son long cou vers les branches hautes. C'est **Platéosaure** ou « Lézard plat », le premier **dinosaure herbivore** connu.

Il déchiquette le pauvre arbre et passe à un autre.

Les grands arbres sont des conifères. Au sol poussent les fougères et les cycas.

Ses petites dents coupent les feuilles comme des ciseaux. Il avale tout sans mâcher.

Certains dinosaures débutants, comme Coelophysis, vivent en **groupe.**
En bande, on se sent fort et on n'a peur de rien.

Coelophysis ou « Forme creuse »
possède des os creux. Ainsi, il est plus léger.
Le mâle est costaud et la femelle, plutôt gracieuse.

Ses nombreuses petites dents acérées sont crénelées comme des couteaux à viande.

Cannibales

La coelophysis n'est pas toujours une tendre maman. Un jour, des paléontologues trouvent des squelettes de petits coelophysis dans le ventre d'un adulte. On pense bien sûr que c'est une maman et ses futurs bébés. Mais en étudiant bien le squelette, on se rend compte que les petits sont dans l'estomac ! Le gros coelophysis a dévoré les petits ! C'est un cannibale ! Les varans d'aujourd'hui, peuvent aussi manger leurs petits.

Ses bras très courts se terminent par des doigts griffus.

Les premiers mammifères

Pendant que les dinosaures dominent le monde, les mammifères sont déjà là, mais petits, discrets, bien cachés, comme s'ils attendaient leur tour…

C'est la nuit dans la forêt. Les gros prédateurs dorment. C'est le moment pour les **mammifères** de sortir pour se nourrir. Ils sont **carnivores** mais les seules proies possibles pour ces petits prédateurs sont les **insectes** et les **petits reptiles**.

Mégazostrodon vient de sortir de son trou. Il ressemble à une musaraigne. Le nez en l'air, il renifle l'air de la forêt et sent l'odeur du gros archosaure. Il écoute. La respiration du monstre est lente et régulière. Il dort. Rien à craindre, la **chasse peut commencer**.

Dans les océans

Au temps des dinosaures, la vie grouille aussi dans les océans : poissons, coquillages et gros reptiles.

Depuis très longtemps, les reptiles vivent sur la terre ferme. Et bien voilà que **certains reptiles retournent dans l'eau**, comme leurs lointains ancêtres poissons. Mais ils ont toujours besoin de remonter à la surface pour **respirer**.

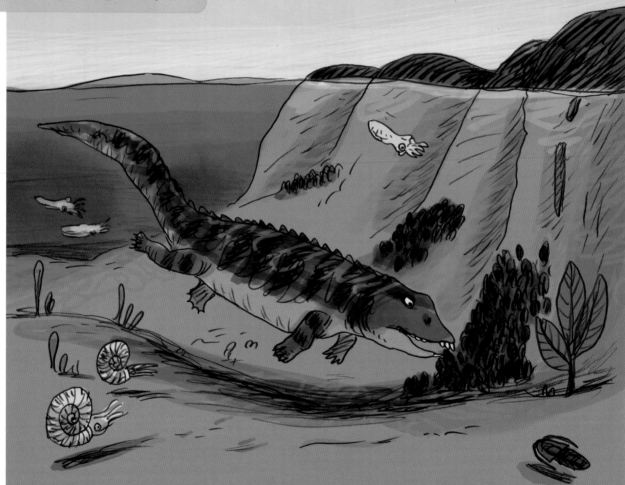

Chez **Placodus** ou « Dent plate », la transformation n'est pas spectaculaire. Il ressemble beaucoup aux reptiles terrestres. D'ailleurs, il n'aime pas s'éloigner du bord et reste dans les **eaux peu profondes**. Il nage comme un triton. Grâce à ses puissantes mâchoires, il **arrache les moules** des roches. Ses dents de derrière sont larges et plates pour pouvoir broyer les coquilles.

Nothosaurus ou « Faux Lézard » est bien mieux équipé pour la chasse sous-marine. C'est un **bon plongeur**. Avec son long cou et ses pattes-nageoires, il chasse les poissons **dans les fonds marins**. Ses dents sont fines et pointues. Il vit près du rivage, comme un phoque. Après la pêche, il aime se prélasser sur la plage.

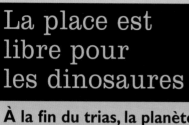

La place est libre pour les dinosaures

À la fin du trias, la planète est secouée de violents tremblements de terre. Les volcans crachent le feu. Le climat change. De nombreux animaux disparaissent.

Les plus anciens reptiles sont nombreux à disparaître. Les **dinosaures**, jusque-là assez discrets, peuvent occuper les territoires laissés libres. Bien équipés et bien cachés, les **mammifères** aussi, survivent.

Dans les océans, les placodontes et les nothosaures disparaissent à jamais. Ils laisseront leur place à de **nouveaux grands prédateurs.**

5 LA VIE DU MILIEU

LE JURASSIQUE

Il pleut de plus en plus.
Marais et plaines marécageuses
remplacent les déserts.
Le climat chaud et humide est
idéal pour les reptiles.

Les arbres
poussent
de plus en
plus haut.

Les herbivores
deviennent de
plus en plus
grands.

Les carnivores grossissent
pour pouvoir attaquer
ces montagnes de viande.

Les mammifères restent
cachés au fond de leurs terriers.
Ils ne sortent que la nuit pour chasser
les insectes et les petits reptiles.

Un grand événement : de petits dinosaures carnivores se couvrent de **plumes** et s'envolent. Parmi eux se trouvent les ancêtres des oiseaux. Mais les ptérosaures restent encore les maîtres des airs.

Dans l'eau, les grands pliosaures aux mâchoires de crocodile attaquent tout ce qui nage.

Les « Longs Cous »

Au jurassique sont apparus les plus grands animaux que la Terre ait portés : les sauropodes ou « Pieds de Lézard » appelés aussi « Longs Cous ».
Ils passent tout leur temps à engloutir des tonnes de feuilles.

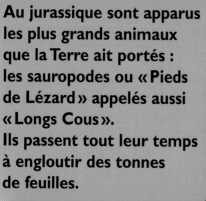

Brachiosaure
ou « Lézard à bras »

Brachiosaure a de solides mâchoires. Ses dents ont la forme de cuillers pour couper les rameaux tendres. Il a un cœur énorme et puissant pour envoyer le sang vers le haut de son cou jusqu'à son petit cerveau. C'est lui qui broute le plus haut. Au sommet de l'arbre, il trouve des feuilles très tendres.

Chaque dinosaure mange à sa hauteur.
Ils peuvent ainsi tous vivre ensemble sans se disputer la nourriture.

Camarasaurus
ou « Lézard à trous »
Il a des trous dans les vertèbres.

Il a un très bon odorat :
regarde ses deux grosses narines.
C'est lui qui sent le premier
le danger et prévient les autres.

Dicraeosaurus
ou « Lézard à fourche »
Ses vertèbres fourchues
donnent une plus grande rigidité
à sa colonne vertébrale.

Des traces dans la roche

Voici des empreintes fossiles marquées dans le sol. De grandes traces rondes et profondes sont mélangées à d'autres, en forme de serres d'oiseau. Que nous racontent-elles ?

Les **traces** en forme de **baquets** sont celles d'un grand herbivore, un **apatosaure** ou «Lézard trompeur». Les autres, à **trois griffes**, sont celles d'un gros carnivore, l'**allosaure** ou «Autre Reptile».

L'**apatosaure** s'éloigne du marais, attiré par les feuilles tendres d'une jeune forêt de fougères géantes.

Un **allosaure** affamé a senti l'odeur de l'herbivore. Il suit sa piste en **reniflant** les **empreintes** laissées dans la boue.

Quand l'**apatosaure** sent la **présence** du carnivore, il change de direction et fonce vers le **marais**. Mais il est si lourd qu'il ne peut pas courir. L'**allosaure** est très rapide et le **rattrape** déjà.

L'apatosaure fouette l'air de sa **puissante queue** et touche l'allosaure à la jambe. L'allosaure tombe.

Le temps qu'il se redresse, l'apatosaure est déjà dans son marais et avance vers l'eau profonde. Il est **en sécurité**.

nom	**Allosaure**
surnom	**Autre Reptile**
taille	**12 mètres de long**

• **Grâce à ses dents et ses griffes recourbées vers l'arrière, il peut maintenir sa proie quand elle se débat.**

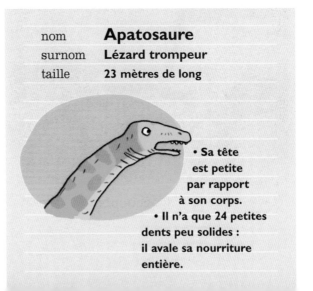

nom	**Apatosaure**
surnom	**Lézard trompeur**
taille	**23 mètres de long**

• **Sa tête est petite par rapport à son corps.**
• **Il n'a que 24 petites dents peu solides : il avale sa nourriture entière.**

Un poulet avec des dents

La rivière est presque à sec. Il ne reste que des trous boueux, où survivent larves et poissons. Des nuées d'insectes grouillent dans les fougères. Des quantités de lézards courent entre les touffes. Quel bon terrain de chasse pour un petit carnivore !

Voici **Compsognathus** ou «Jolie Mâchoire».
C'est un chasseur vif et malin.
Il dévore tout ce qui est assez petit pour lui.

Ses **dents** acérées **découpent** les chairs.

Il **renifle** l'empreinte énorme d'un barosaure.
Oui, c'est de la viande, mais c'est beaucoup
beaucoup **trop gros** pour lui !

« Jolie Mâchoire » a trouvé **plus rapide** que lui : un petit mammifère qui a vite plongé dans sa cachette.

Pas question de partager les proies avec les « volants ». **Dimorphodon** ou « Double Dent » ne mangera pas le lézard : il est bien trop maladroit au sol pour courir.

nom	**Compsognathus**
surnom	**Jolie Mâchoire**
taille	**60 centimètres de long**

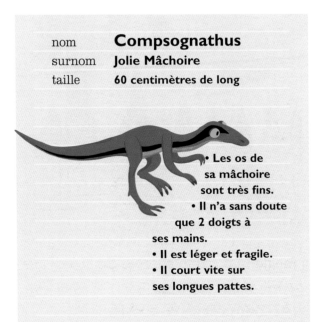

• Les os de sa mâchoire sont très fins.
• Il n'a sans doute que 2 doigts à ses mains.
• Il est léger et fragile.
• Il court vite sur ses longues pattes.

nom	**Dimorphodon**
surnom	**Double Dent**
taille	**75 centimètres d'envergure**

• Son bec rappelle celui du macareux.
• Ses pattes puissantes et griffues sont faites pour escalader les rochers et les arbres.

Des plumes dans le ciel

Dans le ciel où volent insectes, ptérosaures et lézards volants, voici qu'apparaît un drôle d'animal à plumes…

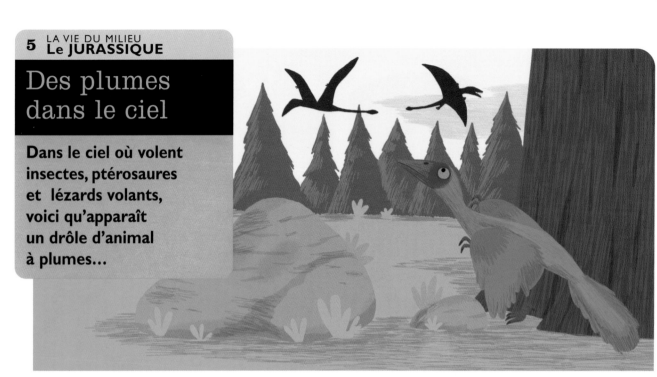

L'**animal à plumes** regarde dans le ciel voler les **pétéinosaures**, les «Lézards volants». Peut-être a-t-il envie d'en faire autant?

Il grimpe, il grimpe, enfonçant ses griffes dans l'écorce. Et là-haut, il se lance dans le vide.

Le voici qui plane, les ailes déployées. Il ne vole pas vraiment, mais il commence à se débrouiller. C'est le **premier oiseau**. Il s'appelle **Archéoptéryx** ou «Vieille Aile».

Bien sûr, si on le plume, **Archéoptéryx** ressemble beaucoup à un petit carnivore comme **Compsognathus** : longue queue, jambes pour courir, mains pour saisir et dents pour croquer. La différence, ce sont les plumes…
À terre, avec ses ailes, il **court plus vite** et fait des **bonds**.

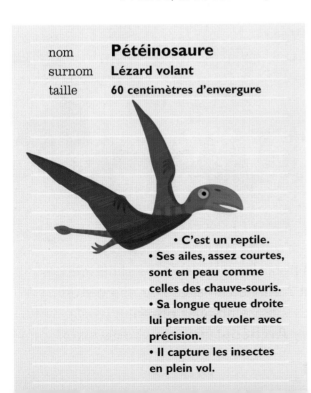

nom **Pétéinosaure**
surnom **Lézard volant**
taille **60 centimètres d'envergure**

• C'est un reptile.
• Ses ailes, assez courtes, sont en peau comme celles des chauve-souris.
• Sa longue queue droite lui permet de voler avec précision.
• Il capture les insectes en plein vol.

nom **Archéoptéryx**
surnom **Vieille Aile**
taille **70 centimètres d'envergure**

• C'est le premier oiseau.
• Ses ailes sont couvertes de plumes mais il ne vole pas très bien.

Les mangeurs de forêts

Le grand troupeau de diplodocus a traversé la plaine pour atteindre la forêt. Quand cette forêt sera entièrement avalée, le troupeau migrera vers la suivante.

Le troupeau de **diplodocus** ou « Doubles Poutres » est toujours suivi par de nombreux prédateurs prêts à se jeter sur un petit égaré ou un adulte blessé. Cette vieille femelle a mal aux jambes. Elle est lente, mais elle sait toujours bien utiliser l'**arme suprême** des diplodocus, leur **queue**. Le mégalosaure le constate en prenant un grand coup de fouet.

Les **diplodocus** ne peuvent pas lever le cou très haut, alors ils appuient de tout leur poids pour déraciner les arbres et atteindre les feuillages.

nom	**Diplodocus**
surnom	**Double Poutre**
taille	**27 mètres de long**

• **Les 70 vertèbres de sa queue lui permettent de la garder droite, comme une «poutre», quand il marche.**

• **Diplodocus passe son temps à manger des centaines de kilos par jour qu'il digère lentement dans son énorme estomac.**

• **Ses petites dents, juste en avant de la bouche, sont fines comme un peigne, pour arracher les feuilles en laissant les branches.**

• **Il ne pèse «que» 10 tonnes (comme 2 éléphants) car ses vertèbres sont creuses.**

• **Il a 5 doigts bien écartés, un talon rembourré pour amortir ses pas.**

Un petit bien à l'abri

Sans avoir à se déplacer, la grande femelle mamenchisaure ratisse les fougères de la clairière grâce à son long cou. Elle surveille du coin de l'œil son petit qui s'éloigne un peu trop d'elle.

Soudain, **trois têtes** jaillissent. Des «Lézards cornus»!

La femelle **mamenchisaure** mugit. Aussitôt, le petit vient se cacher entre les jambes de sa mère.

Les **cératosaures** ou «Lézards cornus» sont trois jeunes mâles. Ils sont inexpérimentés et tournent sans trop s'approcher de l'immense mamenchisaure. Ce qu'ils convoitent, c'est le petit.

Soudain, un «Cornu» **bondit** et **griffe** profondément le **ventre** de la mère.

Alors la maman mamenchisaure se **lève lourdement** sur ses pattes arrière.

Le « Cornu » recule, mais pas assez vite.
Dans un fracas de tonnerre, mamenchisaure
retombe sur le carnivore et lui **écrase
le dos**.

La mère et son petit n'ont plus rien
à craindre des deux autres « Cornus ».
Ils ont maintenant de quoi manger.

nom	**Cératosaure**
surnom	**Lézard cornu**
taille	**6 mètres de long**

• **Il a une corne sur le nez pour affronter
les autres mâles en duel.**

• **Sa corne casse
souvent car elle
est fragile.**

• **Ses longs crocs sont
recourbés pour bien
tenir sa proie.**

• **Il a 2 petites mains
pourvues chacune
de 4 doigts dont
3 ont des griffes.**

nom	**Mamenchisaure**
surnom	**Lézard de Mamenchi**
taille	**22 mètres de long**

• **Mamenchi est l'endroit en Chine
où l'on a trouvé le premier fossile.**

• **Il a le plus long cou de tous les dinosaures :
11 mètres, aussi long que le reste
de son corps.**

Un petit maintenant bien seul

Gravement blessée par le « Cornu », la mamenchisaure a perdu beaucoup de sang. Elle s'est couchée pour ne plus se relever. Son petit tourne autour d'elle en gémissant.

Un **charognard** a senti l'odeur de loin. Il court vite sur ses pattes arrière pour arriver le premier. C'est un **dilophosaure**. Le petit mamenchisaure s'enfuit.

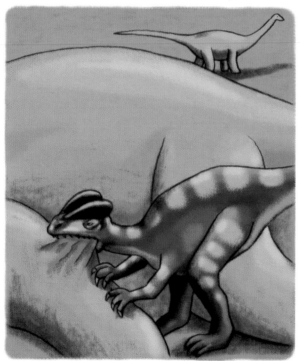

Voici le dilophosaure ou « Double Crête » devant l'énorme masse de viande. Il regarde autour de lui : pas de danger ! Il **plante ses dents** et commence à **arracher** des morceaux.

« Double Crête » mange autant qu'il peut, puis s'en va digérer, laissant la place à d'autres charognards qui vont nettoyer le reste de la carcasse.

Le petit mamenchisaure va devoir **affronter seul** les dangers du jurassique.
Pour survivre, il devra **rejoindre un troupeau** de son espèce.

nom	**Dilophosaure**
surnom	**Double Crête**
taille	**6 mètres de long**

• **Ses 2 crêtes lui servent
à être beau et fier,
à montrer sa force
et son caractère pour
séduire les femelles,
comme un coq.**

• **Ses mains portent quatre doigts.
Trois se terminent par des griffes
très efficaces pour arracher
la chair des cadavres.**

• **Ses mâchoires
sont minces et faibles.
Il n'a pas de fortes
dents pour tuer,
mais des dents fines,
parfaites pour
déchiqueter la chair.**

Sale temps pour le tueur

Le stégosaure solitaire occupe le champ de fougères depuis une semaine.
Il y restera jusqu'à ce qu'il ait tout avalé.
Son cerveau, à peine plus gros qu'une noisette, ne lui dicte qu'une chose : manger… manger.
Il avale sans mâcher.

Le **stégosaure** ou « Lézard à toit » avance lentement, la tête au ras du sol, en arrachant de son bec les touffes vertes.

Ouf, le stégosaure a passé 2 heures en **plein soleil**. Il a chaud et se glisse à l'ombre des rochers. Ainsi, le **sang** qui circule dans les plaques de son dos **se refroidit**.

Le stégosaure semble maintenant endormi. Un **allosaure** s'approche en traversant le champ de fougères.

Le stégosaure ouvre un œil, voit l'allosaure et se dresse sur ses pattes. La peur fait rougir ses plaques. Il **agite** violemment sa **queue** dans tous les sens.

L'allosaure se prend **4 piques** dans la cuisse. Il abandonne et s'enfuit en hurlant. Mauvaise journée pour lui...

nom	**Stégosaure**
surnom	**Lézard à toit**
taille	**7 mètres de long**

• **Quand on a trouvé les premières plaques, on a cru qu'elles étaient posées sur le dos de ce dinosaure comme des tuiles sur un toit.**

• **Les plaques osseuses qu'il porte sur le dos lui servent de radiateur.**

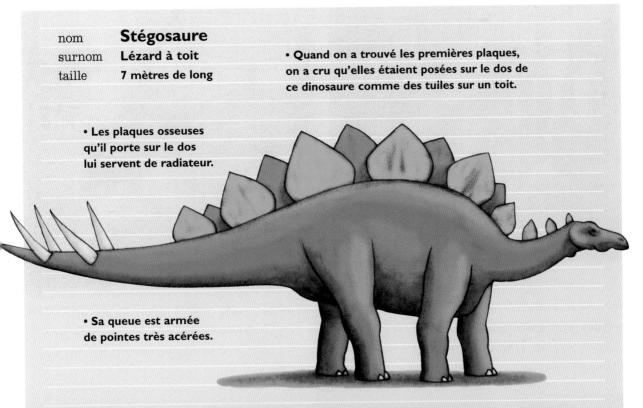

• **Sa queue est armée de pointes très acérées.**

Le lézard qui fait trembler la terre

L'énorme séismosaure marche lentement sur ses jambes courtes et massives.
C'est le plus long animal de tous les temps et le sol tremble sous ses pas...
Toute la journée, le séismosaure avale feuilles et fougères.

Les plantes sont coriaces, mais le **séismosaure** n'a pas le temps de les mâcher. Son énorme estomac se charge de les digérer.

Non, non, ce dinosaure n'est pas un « pierrivore » ! Il mange des pierres pour **aider** **son** **estomac** à **broyer** les végétaux qu'il avale tout rond.

Lorsque les pierres sont usées, il les recrache pour en avaler d'autres, plus tranchantes.
Ces pierres s'appellent des **gastrolithes**.

Toute cette nourriture produit d'énormes quantités de bouse. Attirés par la bonne odeur, les **bousiers** arrivent très nombreux et commencent leur nettoyage.

Ce bousier a fabriqué une **boule de bouse** bien ronde. Il la roule un peu plus loin et l'enterre. Puis il y pond un œuf. Lorsque la petite larve en sortira, son repas sera là !

nom	**Séismosaure**
surnom	**Tremblement de terre**
taille	**40 à 50 mètres de long**
poids	**plus de 100 tonnes (100 000 kg !)**

nom	**Anurognathus**
surnom	**Sans queue ni mâchoire**
taille	**50 centimètres d'envergure**

• **Il peut vivre 100 ans.**

• **Les anurognathus nettoient le dos du séismosaure des parasites qui le démangent et des insectes qui le piquent, comme les pique-bœufs sur le dos des buffles.**

La terreur des mers

Ce n'est pas un dinosaure, puisqu'il vit dans la mer. Mais ce monstre marin est l'un des plus puissants carnivores de tous les temps.

Dans un bouillonnement d'écume, un monstre gigantesque, le **liopleurodon**, jaillit de l'océan. Il referme ses énormes machoires sur le **dilophosaure** et l'entraîne dans les flots. Quelques secondes plus tard, la plage est à nouveau tranquille.

Le **liopleurodon** peut chasser sur la plage ou en haute mer. Il attaque des proies aussi grandes que lui, comme le **leedsichthys,** l'un des plus gros poissons ayant jamais existé.

Le **liopleurodon** nage en battant ses immenses nageoires.

nom	**Liopleurodon**
taille	25 mètres de long
poids	au moins 100 tonnes (100 000 kg!)

• Ses dents mesurent plus de 30 cm soit deux fois celles d'un tyrannosaure. Elles sont plantées à l'avant de la mâchoire et dirigées vers l'extérieur.

• Il peut rester une heure sous l'eau sans respirer.

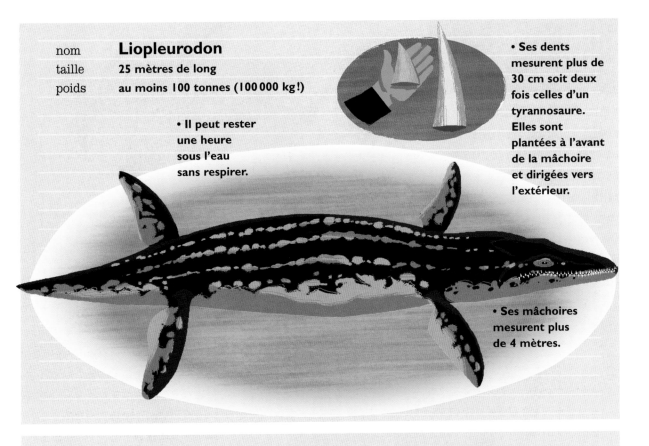

• Ses mâchoires mesurent plus de 4 mètres.

nom	**Leedsichthys**
taille	22 à 25 mètres de long

• Ce géant ne mange que du tout petit.
• Ses 40 000 dents lui servent à filtrer l'eau de mer afin de capturer les petites proies qu'elle contient.

Apprendre à pêcher

Les ptérosaures sont des reptiles volants. Ils sont couverts de fourrure. Ce sont des animaux à sang chaud, comme les oiseaux ou les chauves-souris. Pour maintenir leur température, ils ont besoin de manger régulièrement. Certains sont d'excellents pêcheurs.

Ce jeune ptérodactyle est capable de voler. Pour l'aider, ses parents l'appellent en poussant des cris.

Ces jeunes ptérodactyles savent maintenant voler, mais pas encore pêcher. Ils fouillent la plage à la recherche de crabes et de coquillages.

Comme les goélands, les **ptérosaures** « mangeurs de poisson » vivent en grandes colonies **dans les falaises**. Ils construisent des nids et y élèvent leurs petits, à l'abri des prédateurs.

Un tronc avec plein de dents !
C'est un crocodile marin.
Il observe le vol des ptérodaustros.
Il se laisse flotter sans remuer.
Mais son attaque est fulgurante.
Avant la fin de la journée,
il mangera du ptérosaure.

En observant leurs
parents, les jeunes
rhamphorhynchus
apprennent à
pêcher.

Chasseurs sous-marins

Ils vivent dans l'eau mais ce ne sont ni des dinosaures, ni des poissons, ni des mammifères marins. Ce sont des reptiles revenus vivre dans la mer. Ils ressemblent beaucoup à nos dauphins.

Comme les dauphins, l'**ichthyosaure** aime jouer dans le courant, plonger dans les vagues, faire des bonds hors de l'eau. Comme eux, il croque calmars et poissons avec ses petites dents pointues.

L'**ichthyosaure** est un nageur très rapide. Il se propulse en bougeant sa queue de gauche à droite. Il se dirige avec ses nageoires.

Comme le dauphin, Il doit remonter à la **surface** pour respirer.

Comme le dauphin, la maman **élève** son petit et lui **apprend à chasser.**

Et pourtant, l'**ichthyosaure** n'est pas un mammifère comme le dauphin, c'est un **reptile** revenu vivre dans la mer.

Le **plésiosaure,** lui, n'est pas un très bon nageur, il ne poursuit pas le poisson en pleine mer. Il va le chercher dans les trous des rochers, sous les algues. Il en profite pour croquer au passage les coquillages et les crustacés.

Pour ne pas flotter et rester bien au fond, il avale quelques galets. Puis Il se **pose** sur le **fond** et attend les ammonites apportées par le courant. Le soir, il ira dormir sur la plage.

Naissances

Le plésiosaure est ovipare : il pond ses œufs sur la plage. L'ichthyosaure est vivipare : ses petits naissent directement du ventre de la mère.

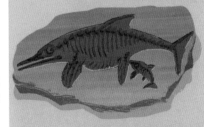

Voici le fossile d'une mère ichthyosaure accouchant de son petit. Il sort, la queue la première, comme chez les dauphins et baleines d'aujourd'hui.

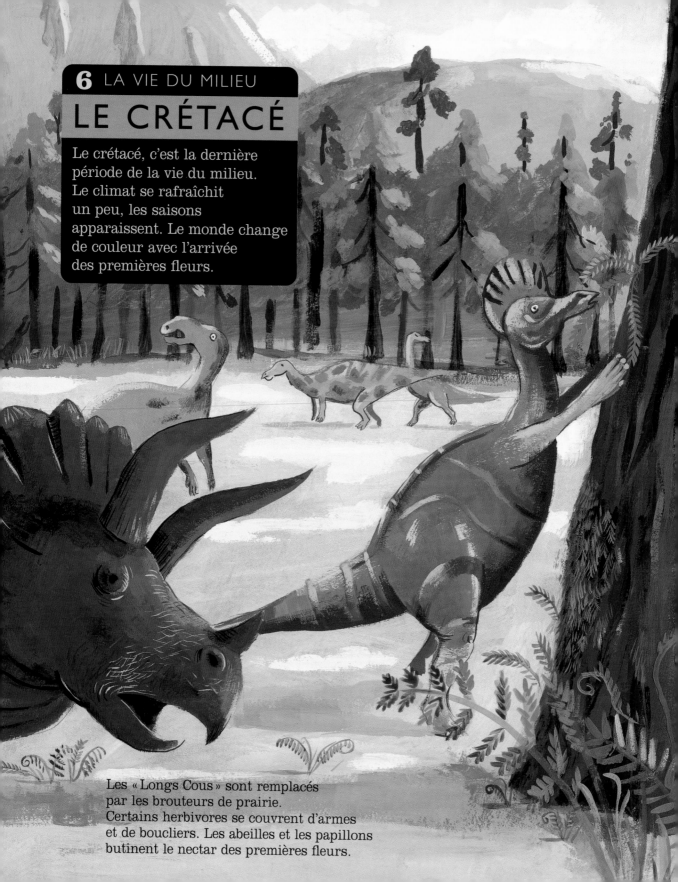

LE CRÉTACÉ

Le crétacé, c'est la dernière période de la vie du milieu. Le climat se rafraîchit un peu, les saisons apparaissent. Le monde change de couleur avec l'arrivée des premières fleurs.

Les « Longs Cous » sont remplacés par les brouteurs de prairie. Certains herbivores se couvrent d'armes et de boucliers. Les abeilles et les papillons butinent le nectar des premières fleurs.

Les ptérosaures géants
sont encore les maîtres
du ciel.

Les magnolias sont
les premières fleurs
qui apparaissent
sur la Terre.

Les serpents et les varans apparaissent.
Les mammifères restent cachés.

Un concert dans la plaine

Les Becs de canard n'ont ni griffes, ni cuirasse, ni cornes. Certains ont une crête sur la tête, d'autres un casque.

Les corythosaures râlent. Il y a beaucoup trop de monde sur ce bosquet !

L'edmontosaure a repéré une très jolie femelle. Il beugle pour montrer sa belle voix.

Le parasaurolophe gonfle ses joues, puis souffle l'air par son nez dans ses trompes. Il en sort un son grave comme un trombone.

Les **hadrosaures** ou « Becs de canard » ont l'habitude de vivre en groupe. Ils se déplacent tous ensemble pour trouver de la nourriture.

nom **Hadrosaure**

surnom **Bec de canard**

taille **9 mètres de long**

• Il se met à 4 pattes pour brouter, à 2 pattes pour courir.

• L'Hadrosaure a des ongles en forme de sabots.

• L'avant de sa bouche est un bec sans dents aux bords tranchants, pour couper les branches des buissons.

nom **Corythosaure**

surnom **Casque corinthien**

taille **9 mètres de long**

• Sa crête spectaculaire en forme d'éventail rappelle le casque que portaient les soldats de la cité grecque de Corinthe.

nom **Edmontosaure**

surnom **Lézard d'Edmonton**

taille **13 mètres de long**

• Il a un bec édenté pour brouter les feuilles des arbres et des milliers de dents au fond de la bouche pour broyer les végétaux. Les dents usées sont immédiatement remplacées.

nom **Parasaurolophe**

surnom **Cousin du lézard à crête**

taille **9 mètres de long**

• Le Parasaurolophe a une crête qui s'emboîte dans un trou de son dos.

Les charognards

Le grand carnivore est mort de sa blessure depuis déjà une semaine. Les vers grouillent dans la charogne. L'odeur est affreuse. Carcharodontosaure ou « Dent de requin » s'approche, tourne autour, hésite devant cette tête qui lui ressemble.

Puis, d'un seul coup, « Dent de requin » arrache un gros morceau de chair pourrie.

100

Les **quetzalcoatlus** ou «Serpents à plumes» sont les plus grands «volants» de tous les temps. Ils attendent leur tour pour nettoyer le cadavre. Les mouches finiront le travail jusqu'à laisser quelques os blanchis que l'on découvrira peut-être, quelques millions d'années plus tard.

nom	**Carcharodontosaure**
surnom	**Dent de requin**
taille	**8 mètres de long**

• Ses dents striées mesurent environ 12 cm et ressemblent un peu à celles du grand requin blanc.

nom	**Quetzalcoatlus**
surnom	**Serpent à plumes**
taille	**12 mètres d'envergure**

• Avec son long bec, il mange les cadavres, comme le marabout aujourd'hui.

Une bonne mère

En 1978, aux États-Unis, des paléontologues découvrent plusieurs nids de grands herbivores contenant des petits squelettes.

Les dents des petits sont usées. Dans leur estomac, il y a des traces de baies et de graines. C'est donc que les petits mangent au nid et que quelqu'un leur apporte la nourriture : leur mère.
On a baptisé ce dinosaure **Maiasaura**, qui veut dire «Bonne Mère».

La maman maiasaura gratte le sol de ses griffes pour y creuser un grand **nid**.
Elle y pond ses **œufs** : 2 douzaines. Elle les recouvre de feuilles et de terre.
En pourrissant, les feuilles dégagent de la chaleur qui chauffe les œufs.

Pendant que certaines mamans vont se nourrir, les autres **surveillent** les œufs. Et il y a beaucoup d'amateurs !

Le petit dinosaure casse l'œuf avec une **dent** qu'il porte sur le museau, comme un poussin.

Pendant plusieurs semaines, la mère va les nourrir **au nid**.

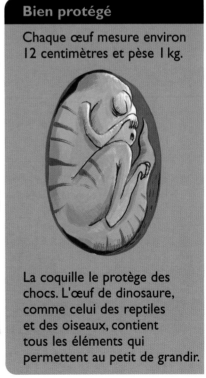

Bien protégé

Chaque œuf mesure environ 12 centimètres et pèse 1 kg.

La coquille le protège des chocs. L'œuf de dinosaure, comme celui des reptiles et des oiseaux, contient tous les éléments qui permettent au petit de grandir.

La meute en chasse

Sur la berge, le «Lézard à tendons» court pour sauver sa vie. Malgré son poids, c'est un bon coureur. Ses poursuivants sont beaucoup plus petits. Ce sont des «Griffes terribles» qui chassent en meute comme les loups.

Le **ténontosaure** ou «Lézard à tendons» est fatigué. Il ralentit sa course.
Il est aussitôt **encerclé**.

Les «Griffes terribles» bondissent sur le ténontosaure, enfoncent dans sa peau
leurs **mains crochues** et labourent son ventre avec les grandes **griffes** de leurs pieds.

Le ténontosaure donne de grands coups de sa **lourde queue** et se dresse sur ses jambes. Mais il perd beaucoup de sang. La meute sait qu'il va mourir.

Alors les « Griffes terribles » attendent à distance de la dangereuse queue. Enfin, le ténontosaure se couche. C'est le signal. Les carnivores vont le **dévorer**.

nom	**Deinonychus**
surnom	**Griffe terrible**
taille	**4 mètres de long**

nom	**Ténontosaure**
surnom	**Lézard à tendons**
taille	**7 mètres de long**

• **Il est intelligent, son cerveau est gros.**

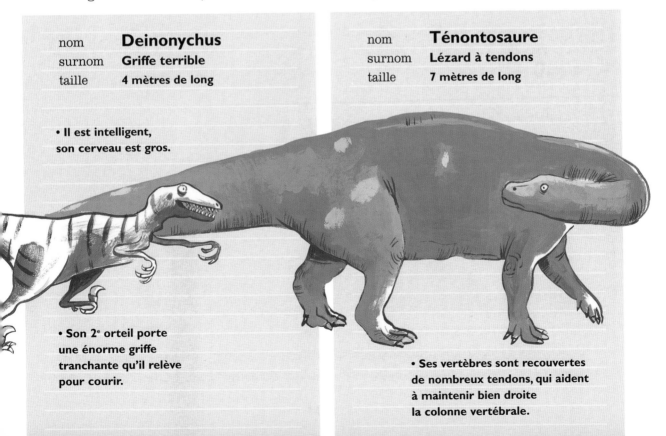

• **Son 2ᵉ orteil porte une énorme griffe tranchante qu'il relève pour courir.**

• **Ses vertèbres sont recouvertes de nombreux tendons, qui aident à maintenir bien droite la colonne vertébrale.**

Un coup de boule

Deux « Canards géants » broutent tranquillement au bord du lac. Ce sont deux sœurs, sorties du même nid et qui ne se sont jamais quittées.

L'une des deux **anatotitans** ou « Canards géants » est inquiète et surveille les environs. L'autre se goinfre des plantes qui poussent les pieds dans l'eau. Avec ses centaines de dents taillées en diamant, elle réduit en purée les tiges coriaces.

Soudain, un **dasplétosaure** ou « Horrible Lézard » jaillit comme un boulet de canon. Le « Canard géant », les joues gonflées, beugle de terreur. L'« Horrible Lézard » percute la gourmande. Sa sœur plonge.

Au fond du lac, elle ne craint plus rien. N'ayant ni arme ni cuirasse, son seul salut est de se réfugier dans les profondeurs où elle nage à merveille. L'**ichthyornis** ou « Oiseau Poisson » se moque bien de ces géants, pourvu qu'il y ait du poisson.

nom	**Anatotitan**
surnom	**Canard géant**
taille	**10 mètres de long**

• Il se nourrit en broutant à 4 pattes ou en se dressant sur 2 jambes pour atteindre les branches basses.

nom	**Dasplétosaure**
surnom	**Horrible Lézard**
taille	**8,5 mètres de long**

• Il marche sur ses fortes pattes arrière à grandes enjambées. Il se déplace rapidement. Il préfère attaquer par surprise.

nom	**Ichthyornis**
surnom	**Oiseau Poisson**
taille	**1 mètre d'envergure**

• C'est un vrai oiseau qui vole parfaitement bien, une sorte de mouette à dents.

Le combat immobile

**Le vieux « Voleur rapide »
a été exclu de sa meute.
Il doit maintenant vivre seul.
Du haut de la dune,
il a vu le « Première Corne »
qui approche. Un jeune,
mais déjà costaud.**

C'est une proie un peu grosse pour un seul chasseur,
mais le **vélociraptor** ou « Voleur rapide » a faim. Il bondit, tombe
sur sa proie et enfonce les longues griffes de ses doigts dans son dos.
Il s'agrippe et lacère le ventre du **protocératops**
ou « Première Corne » de sa griffe-faucille.

«Première Corne» attrape dans son bec une patte de «Voleur rapide». Il la mord si fort qu'elle casse. La dune s'effondre sur les combattants qui meurent étouffés dans leur position de combat.

On les retrouvera 80 millions d'années plus tard toujours agrippés l'un à l'autre.

nom **Protocératops**
surnom **Première Corne**
taille **2,70 mètres de long**

• **La mère pond 30 œufs en spirale, puis les recouvre de sable.**

• **Sa peau est très épaisse.**

• **Sa collerette osseuse protège son cou.**

• **Avec ses dents broyeuses, il arrache les branches, puis les mâche.**

• **Son bec, très puissant, est surmonté d'une bosse.**

nom **Vélociraptor**
surnom **Voleur rapide**
taille **1,80 mètre de long**

• **Il chasse en meute, comme les hyènes.**

• **Ses doigts griffus lui permettent de s'agripper.**

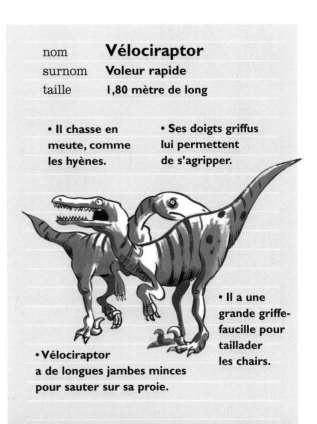

• **Vélociraptor a de longues jambes minces pour sauter sur sa proie.**

• **Il a une grande griffe-faucille pour taillader les chairs.**

La forteresse

Le troupeau broute tranquillement les fougères, quand soudain : Brooooaaaaaa!
Une alerte! Le petit « Trois Cornes » se glisse sous le ventre de sa mère. Les femelles se sont serrées les unes contre les autres.

Tout autour, les **tricératops** mâles ou « Trois Cornes » tapent du pied, raclent le sol. Le troupeau mugit. C'est très impressionnant! Le petit ne bouge plus.

Le danger, le voilà : un **giganotosaure**!

Soudain, un « Trois Cornes » sort du troupeau. Il est **immense**.

Le bouclier se reforme aussitôt derrière lui. Le **grand mâle** fonce tête baissée sur le giganotosaure. Le carnivore ne prend aucun risque et s'enfuit avant d'être embroché.

nom	**Tricératops**
surnom	**Trois Cornes**
taille	**9 mètres de long**

• Une collerette osseuse protège son cou des morsures.

• Avec son bec, il coupe les fortes tiges des fougères.

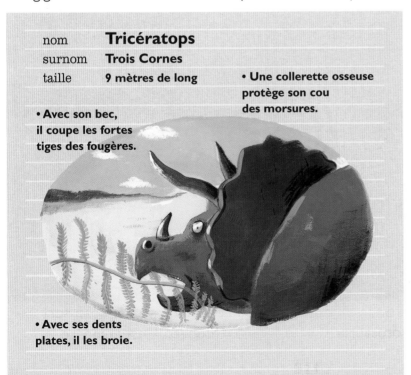

• Avec ses dents plates, il les broie.

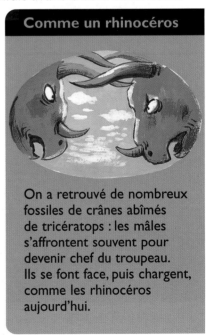

On a retrouvé de nombreux fossiles de crânes abîmés de tricératops : les mâles s'affrontent souvent pour devenir chef du troupeau. Ils se font face, puis chargent, comme les rhinocéros aujourd'hui.

Chasseur de chasseurs

Le couple d'albertosaures a tué un « Tête dure » et le dévore tranquillement. Mais, soudain, la jeune femelle se met à gronder. Elle a vu le giganotosaure qui s'approche.

Le **giganotosaure** ou « Géant du Sud » est énervé. Il a dû fuir devant la charge du « Trois Cornes ». Il veut cette carcasse ! Il fonce sur le couple d'**albertosaures** en rugissant.

112

Il est gros, il est agressif, il est affamé. Le couple fait semblant de résister un peu, puis abandonne, sans combattre, la dépouille du « Tête dure », à demi dévorée.

nom	**Giganotosaure**
surnom	**Géant du Sud**
taille	**13 mètres de long**

- **Giganotosaure est le plus grand carnivore de tous les temps. Il est plus gros que T. rex mais moins puissant et moins malin.**

- **Ses dents sont faites pour arracher les chairs et non pour broyer les os.**

nom	**Albertosaure**
surnom	**Lézard de l'Alberta**
taille	**8 mètres de long**

- **Albertosaure ressemble à un petit T. rex. Assez léger, il poursuit sa proie en courant.**

- **Avec sa machoire féroce il tue ses proies d'une morsure à la nuque.**

La nuit des petits chasseurs

**La nuit est calme.
Les dinosaures dorment.
Les petits mammifères
peuvent partir en chasse.**

Stenonychosaurus fouille dans les feuilles, gratte le sol, creuse la terre à la recherche de petits animaux à avaler tout crus. Il est craintif et il sursaute au moindre bruit.

Cette peluche, grosse comme un chat, c'est **Didelphodon**. Il va se régaler. Il vient de déterrer 6 gros œufs de dinosaure.

Lorsqu'il naît, le petit **didelphodon** n'est pas terminé. Il se blottit dans **la poche** du ventre de sa maman et s'accroche à une tétine jusqu'à ce qu'il soit assez grand pour sortir.

Stenonychosaurus aime aussi les **œufs**. Il essaie d'en chaparder un.

nom	**Didelphodon**
taille	**la taille d'un chat**

• **C'est le plus gros mammifère qui ait fréquenté les dinosaures. C'est un marsupial, comme le koala.**

• **Avec ses 2 grosses dents, il broie les os.**

nom	**Stenonychosaurus**
	ou Troodon
taille	**3 mètres de long**

• **Il pèse à peine 45 kilos. Il est bipède.**

• **À l'aide de sa main à 3 doigts, il peut saisir sa nourriture.**

Coup de bélier

Sur le flanc de la montagne vit un petit troupeau de pachycéphalosaures. Le plus grand, le chef, protège ses femelles. Il est grimpé sur un rocher pour surveiller les environs.

Le **pachycéphalosaure** ou « Tête dure » a senti l'odeur d'un rival. Un autre mâle vient de pénétrer sur son territoire. Il va devoir se battre.

Voici le **rival** : un « Tête dure » grand et jeune. Il est en âge d'avoir son troupeau. Les deux mâles se dressent de toute leur taille et **s'observent** à distance.

Soudain, la tête baissée et la queue dressée, ils se **précipitent** l'un vers l'autre. Les deux crânes vont s'entrechoquer et la bataille va durer longtemps.

Mais le vieux chef **faiblit**.
Il recule. Il est vaincu. Il va tout perdre :
sa place de chef, son territoire
et ses femelles. Il disparaît dans la forêt.

Le jeune mâle est le **nouveau** chef
du troupeau. Les petits que porteront
les femelles seront de lui.

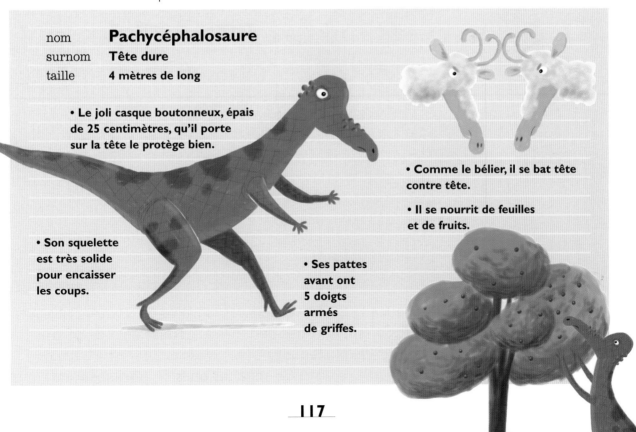

nom	**Pachycéphalosaure**
surnom	**Tête dure**
taille	**4 mètres de long**

• **Le joli casque boutonneux, épais
de 25 centimètres, qu'il porte
sur la tête le protège bien.**

• **Comme le bélier, il se bat tête
contre tête.**

• **Il se nourrit de feuilles
et de fruits.**

• **Son squelette
est très solide
pour encaisser
les coups.**

• **Ses pattes
avant ont
5 doigts
armés
de griffes.**

Terrible Bambi

Bambiraptor ne joue pas avec les petits animaux de la forêt. Il les mange ! C'est un tout petit, mais terrible chasseur. Au loin, les parksosaures l'ignorent. C'est au Bambi de Walt Disney qu'il doit son nom. Étrange pour un si dangereux reptile.

Bambiraptor ou «Bambi voleur» fouille les souches, les fougères en croquant quelques insectes. Soudain, il s'immobilise. Ça sent bon, très bon même. L'odeur vient de ce gros tas de feuilles mortes. Bambi creuse. Les feuilles volent, puis la terre. Ça y est, il a trouvé ! Des œufs, bien rangés… Il va se régaler ! Ce sont des **œufs** de **parksosaure**.

Le **parksosaure** ne s'occupe pas de ses œufs. Il les pond dans un trou, les recouvre de terre et de feuilles. Ensuite, il les abandonne.

Bambi ne trouvera pas tous les œufs. Mais quand les petits sortiront des coquilles, ils seront **seuls** pour affronter les dangers du monde. Et Bambi sera là!

nom	**Parksosaure**
surnom	**Reptile de Parks**
taille	**2,50 mètres de long**

• **Il vit en troupeau. Lorsqu'un danger menace, il s'enfuit en courant sur ses pattes arrière.**

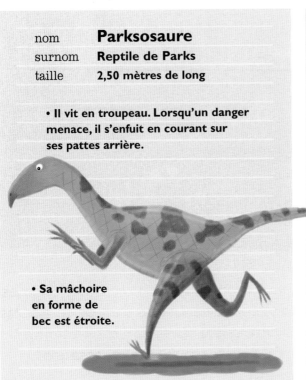

• **Sa mâchoire en forme de bec est étroite.**

nom	**Bambiraptor**
surnom	**Bambi voleur**
taille	**1 mètre de long**

• **Bambiraptor court très vite. Il a sûrement des plumes pour conserver sa chaleur.**

• **Avec ses petites dents, tranchantes comme des lames de rasoir, il déchire sans difficulté la chair de ses proies.**

• **Il a une longue griffe à chaque pied pour déchirer ses proies.**

La grande migration

Comme dans la savane aujourd'hui, les grands troupeaux d'herbivores du crétacé se déplacent, à la recherche de nourriture lorsque arrive la saison sèche. Mais cette migration est pleine de dangers.

Deinosuchus ou « Terrible Crocodile » doit souvent attendre des semaines, parfois des mois, une proie à se mettre sous la dent. Mais aujourd'hui, il va manger. Un grand troupeau de **centrosaures** ou « Cornus » doit traverser le fleuve. C'est la bousculade. Un petit « Cornu » tombe à l'eau. Les mâles hurlent de fureur, les femelles tentent de protéger leurs petits.

« Terrible Crocodile » observe : un petit perdu…, un blessé qui perd son sang…, un vieux mâle épuisé… À chaque fois, il referme sa gueule immense sur sa proie et l'entraîne au fond du fleuve où il la noie. Il **fait des réserves** pour plus tard.

nom	**Deinosuchus**
surnom	**Terrible Crocodile**
taille	**10 mètres de long**

• **Il est énorme. C'est le plus grand crocodile de tous les temps.**

• **Il sait se tenir parfaitement immobile : seuls ses yeux et ses narines sortent de l'eau.**

nom	**Centrosaure**
surnom	**Cornu**
taille	**6 mètres de long**

• **Centrosaure ressemble à un grand rhinocéros.**

• **Il n'a qu'une corne sur le museau.**

• **Son bec lui permet d'arracher les pousses des plantes.**

• **Sa collerette lui protège le cou.**

• **Son corps est trapu.**

La prairie en fleurs

Au crétacé les premières plantes à fleurs apparaissent. L'air bourdonne de mouches et d'abeilles. Les papillons volent de fleur en fleur. Un paradis pour un mangeur d'insectes.

L'**avimimus** ou « Comme un oiseau » attrape tout ce qui vole, saute et rampe. Hop ! une sauterelle. L'avantage, dans ce terrain dégagé, c'est qu'il peut voir venir le danger de loin.

Ce danger-là n'est pas grand, mais long. Lorsqu'il surgit sans bruit au milieu des volailles, c'est la panique. Mais, s'il avait bien observé, « Comme un oiseau » aurait vu le petit mammifère qui déforme le ventre du serpent. **Dinilysia** ou « le Tueur » a mangé. Il n'y a plus aucun risque.

nom	**Avimimus**
surnom	**Comme un oiseau**
taille	**jusqu'à 1,5 mètre**

• Avimimus n'est pas un oiseau mais il est sûrement couvert de plumes.

nom	**Dinilysia**
surnom	**le Tueur**

• Dinilysia est un des premiers serpents. Ses ancêtres étaient des lézards qui ont perdu leurs pattes.

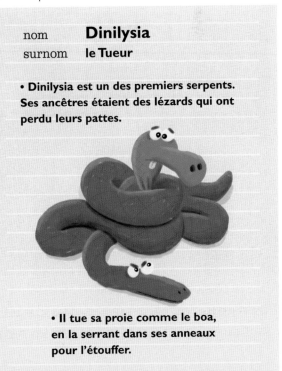

• Il tue sa proie comme le boa, en la serrant dans ses anneaux pour l'étouffer.

Un sourire de crocodile

Le fleuve apporte des quantités d'arbres arrachés par le vent. Ils forment des amas qui pourrissent sur la berge et se couvrent de grandes algues vertes. Des petits reptiles de toutes les formes s'en nourrissent, sans craindre Baryonyx, le gros carnivore au sourire de crocodile.

Baryonyx ou « Lourde Griffe » se tient immobile, à quelques mètres, les pattes dans l'eau. Il pêche à la manière des grizzlis dans les rivières à saumons. Ses pattes avant sont armées de grosses griffes crochues. Mais pourquoi les petits reptiles n'en ont-ils pas peur ?

Les reptiles savent qu'ils n'ont rien à craindre. « Lourde Griffe » ne mange que du gros… du **gros poisson**. Immobile, il guette le passage d'une proie. Soudain, comme un éclair, il détend sa patte, ses **griffes transpercent** le poisson comme un **harpon**.

« Lourde Griffe » amène le poisson à terre, à **l'ombre des arbres,** et le dévore tranquillement. Dans le fouillis de branches, les jeunes poissons se cachent du soleil. **Pelecanimimus** ou « Comme un pélican » en profite pour remplir sa poche. Il les mangera plus tard !

nom	**Baryonyx**
surnom	**Lourde Griffe**
taille	**9 mètres de long**

• **Comme ses narines sont situées en arrière du museau, il peut le laisser tremper dans l'eau tout en continuant à respirer.**

nom	**Pelecanimimus**
surnom	**Comme un pélican**
taille	**2 mètres de long**

• **Pelecanimimus emmagasine les poissons dans la poche de son bec pour les rapporter à ses petits ou les offrir à « Lourde Griffe » si celui-ci devient menaçant.**

• **Son bec est garni de 200 dents.**

Drôle de voleur d'œufs

En 1920, une expédition part dans le désert de Gobi, en Asie. Elle découvre des squelettes de protocératops entourant des quantités de coquilles d'œufs. Mais au milieu du nid, il y a un curieux dinosaure à tête d'oiseau.

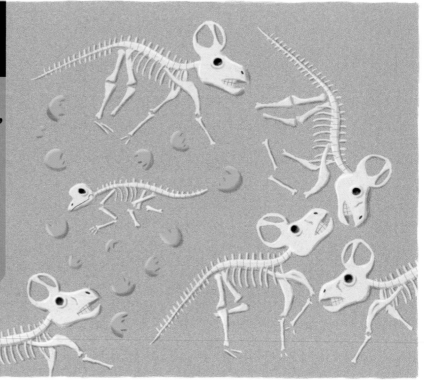

Que faisait là ce dinosaure sans dents?
On a aussitôt pensé qu'il mangeait les œufs des protoceratops quand ils furent tous étouffés sous le sable. On l'appela alors **oviraptor**, le «Voleur d'œufs».

Ce n'est qu'en 1990 que la vérité éclata. On découvrit un squelette de «Voleur d'œufs» dans un nid avec des **œufs** qui étaient **les mêmes** que ceux découverts la première fois. Mais en **ouvrant les œufs**, on trouva des mini-squelettes de… «**Voleurs d'œufs**»!

On s'était trompé ! Les premiers œufs n'étaient pas ceux des protocératops, mais les siens. Ce n'était pas un pilleur de nids, mais une mère très attentionnée, qui protégeait ses œufs.

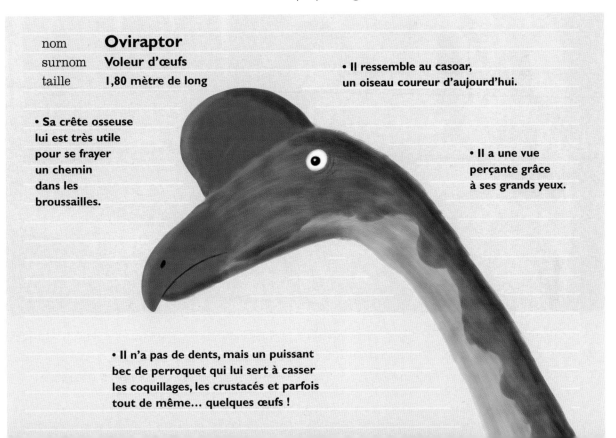

nom	**Oviraptor**
surnom	**Voleur d'œufs**
taille	**1,80 mètre de long**

• Il ressemble au casoar, un oiseau coureur d'aujourd'hui.

• Sa crête osseuse lui est très utile pour se frayer un chemin dans les broussailles.

• Il a une vue perçante grâce à ses grands yeux.

• Il n'a pas de dents, mais un puissant bec de perroquet qui lui sert à casser les coquillages, les crustacés et parfois tout de même… quelques œufs !

Poignards contre cuirasse

Le tyrannosaure ou T. rex descend de la colline en boitant. Son estomac est vide. Et il n'a croisé ce matin que des proies ridiculement petites.

En bas, l'**ankylosaure** ou « le Soudé » s'est couché par terre, les pattes rentrées sous son ventre. Il porte sur le dos une épaisse cuirasse qui le protège des dents les plus longues, mais son ventre, lui, n'est pas protégé et il est bien tendre.

T. rex hésite à attaquer « le Soudé » et tourne autour de lui. Il faut mordre le ventre, sans se prendre un coup de massue. Soudain, T. rex fonce tête baissée sur l'épaule du « Soudé ». Il pousse de toutes ses forces et le soulève.

La redoutable queue **fouette** l'air. T. rex pousse encore et «le Soudé»
roule sur le dos. Le ventre à l'air, «le Soudé» est **fichu**. T. rex pousse un rugissement
de victoire avant de planter ses crocs dans la chair tendre.

nom	**Ankylosaure**
surnom	**le Soudé**
taille	**8 mètres de long**

• **Ankylosaure ressemble au tatou.
Il se nourrit de végétaux tendres
ou de fleurs comme les magnolias
car ses dents sont petites.**

  • **Son corps est recouvert
de lourdes plaques osseuses
qui forment une cuirasse.**

• **Il a de très
bons yeux.**

• **Sa massue est formée
de 2 grosses boules d'os
de 50 kg.**

nom	**Tyrannosaure, T. rex**
surnom	**le Tyran**
taille	**15 mètres de long**

• **T. rex est le monstre des monstres,
la terreur du crétacé. Il chasse à l'affût, comme
le tigre, et peut ingurgiter 200 kg de viande.**

• **Il possède
un odorat
et une ouïe
très
développés.**

Des œufs sur la plage

Le courant chaud apporte de nombreux petits poissons. Couchée sur son rocher, l'élasmosaure n'a qu'à plonger son cou immense pour se nourrir. Elle attend la nuit pour accomplir sa précieuse tâche.

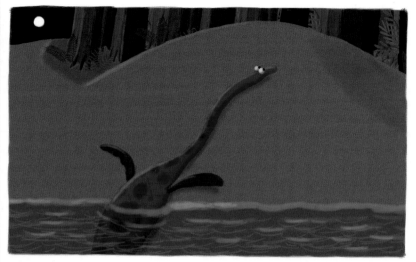

L'**élasmosaure** ou «Cou en ruban» se traîne hors de l'eau. Elle doit monter là-haut, sur la dune. Elle avance péniblement.

Arrivée où elle voulait, elle creuse avec ses **pattes arrière** un trou profond…

… et y dépose son trésor : un paquet d'**œufs** blancs et ronds.

Elle **rebouche le trou** et retourne vers la mer.

Des yeux ont observé la scène. Des **pilleurs de nids**, des mangeurs d'œufs !

Quelques semaines plus tard, un autre danger attend les petits à peine nés : les « volants » !
En piqué, les « volants » ramassent tous les petits élasmosaures qui se traînent vers l'eau.

Trois des petits atteindront la mer.
Deux seront mangés par les poissons.
Le dernier grandira et deviendra
un magnifique « Cou en ruban ».

nom	**Élasmosaure**
surnom	**Cou en ruban**
taille	**14 mètres de long**

• Il nage comme
une tortue marine
d'aujourd'hui.

• À lui seul, le cou
de l'élasmosaure
mesure 8 mètres,
plus de la moitié
de son corps.

• Ses nombreuses
dents s'imbriquent
les unes dans
les autres.

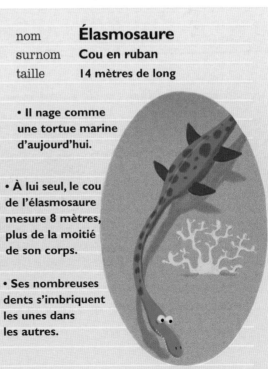

Alerte à la termitière

Terreur sur la ville !
Un monstre attaque
la termitière.
Tous au combat !

Dans la **termitière**, il y a des tuyaux d'aération qui montent jusqu'au sommet,
des réserves de nourriture, la cantine, une nurserie, la chambre du roi.
Une vraie petite ville parfaitement organisée quand soudain, c'est l'attaque :
le **thérizinosaure** ou « Lézard à faux » éventre la termitière avec ses immenses griffes.

Le roi et la reine sont descendus à l'abri dans les profondeurs de la termitière.

Les soldats se précipitent au combat. Ils piquent, ils mordent. La **langue gluante** de «Lézard à faux» s'enfile dans les galeries, **colle les insectes** et les rapporte dans sa bouche.

Puis, repu, le monstre repart. Maintenant, il ne reste plus qu'à tout reconstruire.

nom	**Thérizinosaure**
surnom	**Lézard à faux**
taille	**5 mètres de long**

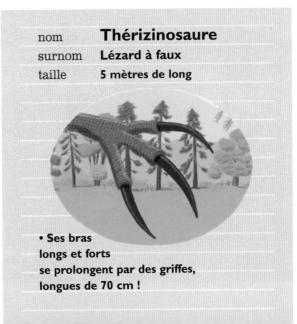

• **Ses bras longs et forts se prolongent par des griffes, longues de 70 cm !**

Dans les terres froides

C'est la fin de l'été polaire. Pendant 5 mois, le soleil ne s'est pas couché. Il va bientôt faire froid, la neige va tomber, la terre va geler.

Dans les sous-bois, le clan des **leaellynasauras** se regroupe. Ils sont **trop petits** pour **migrer**. Il va leur falloir survivre durant la longue nuit glacée. Heureusement, ils ont fait des réserves et sont bien dodus. Il doivent **gratter la neige** pour trouver quelques racines et se protéger du vent violent qui balaie tout.

Kolasuchus, le vieil amphibien, survivant d'un autre âge, s'enfonce au fond du marécage où il vivra au ralenti pendant tout l'hiver.

Déjà, les grands herbivores comme les **muttaburrasaurus** repartent vers des terres plus chaudes, au nord.

nom	**Leaellynasaura**
surnom	**Reptile de Leallyn**
taille	**3 mètres de long**

• **Dans les conditions où il vit,
il ne peut avoir que le sang chaud,
sinon il gèle.**

• **Ses yeux
immenses
lui permettent
de voir dans
la nuit polaire.**

nom	**Muttaburrasaurus**
taille	**7 mètres de long**

• **On a retrouvé son squelette
près de Muttaba, en Australie.**

• **Sa bosse osseuse
sur le museau est décorative.**

La mer rouge

Le jeune mosasaure est blessé à la nageoire. Il nage difficilement en perdant un peu de sang. Le plus difficile, c'est de sortir la tête de l'eau pour respirer.

Mosasaure ou «Lézard de la Meuse» est suivi par une bande de petits requins qui, d'ordinaire, font partie de ses proies. Aujourd'hui, c'est lui la proie.

Soudain, la nuée de carnassiers s'écarte pour laisser passer un **géant**, un requin deux fois plus lourd que le mosasaure.

La morsure est terrible. Le mosasaure **se débat** et le requin mord et mord encore. L'eau est rouge de sang.

Le mosasaure ne bouge plus, le requin avale d'énormes bouchées, puis retourne vers la haute mer, laissant les restes aux petits requins surexcités.

nom	**Mosasaure**
surnom	**Lézard de la Meuse**
taille	**15 mètres de long**

• Cet autre mosasaure s'appelle Globidens.

• On a découvert le premier mosasaure au bord de la Meuse, aux Pays-Bas, d'où son nom.

• Ses dents en balles de golf lui permettent d'écraser les crustacés et les mollusques.

• Sa queue est aplatie.

Le paradis des lézards

C'est le printemps. Il fait doux. Il y a des couleurs partout. La vie n'a jamais été aussi riche, variée, équilibrée.

Un groupe d'hadrosaures beuglent et s'ébattent dans un bosquet de magnolias.

Ornithocheirus plane lentement.
Poussé par le vent, il remonte vers
le nord pour y passer la belle saison
et s'accoupler.

Dans les rochers, un troupeau de guerriers
descend vers la rivière. Piques, casques,
cornes... comme tout cela doit être lourd.

Des oiseaux aux plumes blanches
plongent dans les vagues.

Tout cela aurait pu durer l'éternité.
Mais quelque chose arrive, quelque
chose qui vient de très loin,
plus terrifiant qu'une armée de T. rex...

La mort venue du ciel

Un énorme rocher, une boule de feu venue de l'espace percute la Terre. Le choc creuse un gigantesque cratère. La planète est secouée de violents tremblements de terre. Les volcans crachent le feu, les forêts brûlent. Un formidable raz de marée traverse l'océan.

La fin du monde

De gigantesques nuages de poussière cachent le soleil. La nuit tombe sur la terre des dinosaures pour longtemps.

Les plantes, privées de lumière, meurent.

Les herbivores ne trouvent plus rien à manger et meurent de faim.

Les carnivores n'ont plus d'herbivores
à chasser et meurent à leur tour.

Les dinosaures et beaucoup d'autres
êtres vivants **disparaissent** à jamais.

7

LA NOUVELLE VIE

Le soleil réapparaît et la vie renaît
sur les cendres du cataclysme.
Les graines des plantes à fleurs germent.
Les insectes bourdonnent à nouveau.
Les oiseaux et mammifères se multiplient.
Dans la mer, les animaux qui vivaient
au fond ont été protégés : poissons,
crustacés, coquillages, étoiles de mer,
oursins…
Quelques reptiles ont survécu :
crocodiles, lézards, serpents, tortues.

Les nouveaux maîtres

Les mammifères vont profiter de la disparition des dinosaures pour se multiplier et se diversifier jusqu'à devenir à leur tour les nouveaux maîtres du monde.

Enfouis dans la terre, protégés par leur fourrure et leur petite taille, les **mammifères** ont survécu à tout : aux immenses carnassiers, aux volcans et à la longue nuit.

Les mammifères ont des **qualités** que n'avaient pas les dinosaures.
Ils ont le **sang chaud** donc ils se moquent de la température extérieure.
Ils **protègent** leurs petits jusqu'à ce qu'ils sachent se débrouiller tout seuls.
Ils sont équipés de dents adaptées à **toutes sortes** de nourritures.

Les mammifères peuvent maintenant grossir sans danger jusqu'à devenir **éléphant**
ou **baleine**. Les **chauves-souris**, comme les ptérosaures, peuvent déplier leurs ailes.

Les survivants

Les seuls descendants des dinosaures sont... les oiseaux. Mais d'autres espèces qui vivaient au temps des dinosaures ont survécu aussi.

Comme l'archéoptéryx, le jeune hoazin s'accroche aux arbres de la forêt tropicale avec ses ailes griffues.

Regarde les pattes des oiseaux, tu verras celles des dinosaures. Elles sont couvertes d'écailles. Et leurs doigts sont comme ceux des dinosaures carnivores :

Ces animaux existent aujourd'hui. Tu pourras t'imaginer au crétacé si tu vas
aux îles Galápagos. Les tortues et serpents de mer sont les derniers reptiles marins.
Les tortues n'ont plus de dents, mais un bec coupant.

Voici ton ancêtre

Ses descendants sont les mammifères. Tu es un mammifère. Tu es son arrière, arrière, arrière, arrière, arrière... arrière petit-fils ou petite-fille.

Le **kannemeyera** vivait au trias. Comment le trouves-tu? Ressemblant?

Le kannemeyera aimait **dormir** et rêver.

Il aimait **dévorer** goulûment son repas.

Il aimait **se bagarrer**.

Peut-être aimait-il aussi se faire **câliner**.

records dinosaures

Le plus gros carnivore : le **giganotosaure**.
Il pèse autant qu'un camion de 10 tonnes.

Le plus haut : le **sauroposéidon**. Il mesure 18 mètres de haut.

Les plus griffu : le **thérizinosaure**.
Il a des griffes de 70 centimètres de long.

Le plus rapide : le **gallimimus**. Il court à la
vitesse de 60 km/h, aussi vite qu'un scooter.

Le plus grand : le **séismosaure**. Il mesure 40 mètres et pèse 100 tonnes (100 000 kg)

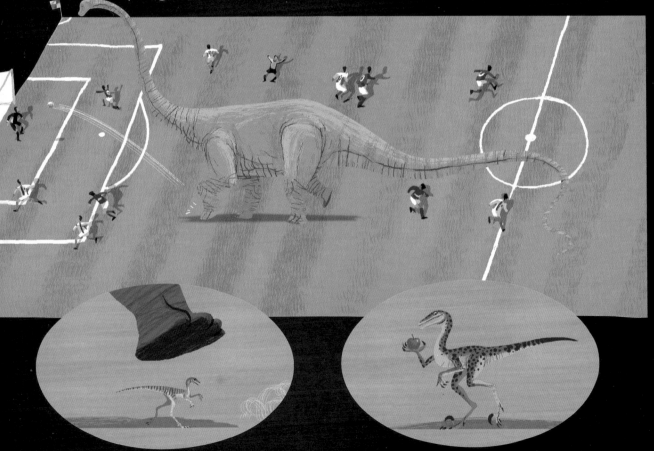

Le plus petit : le **compsognathus**.
Il a la taille d'une poule.

Le plus gros cerveau : celui du petit
troodon ; il a la taille d'une petite pomme.

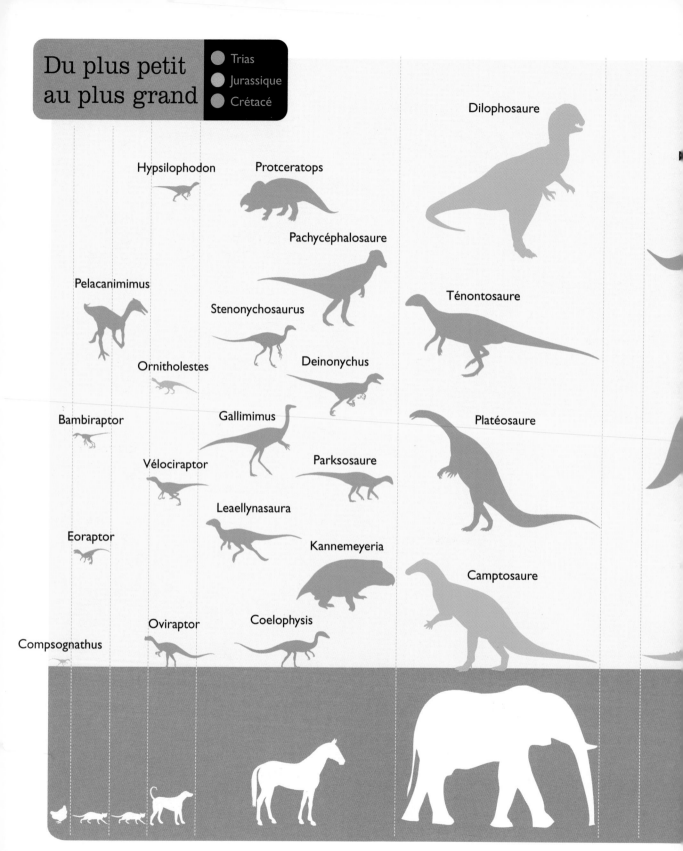

Du plus petit au plus grand

- Trias
- Jurassique
- Crétacé

Dilophosaure

Hypsilophodon

Protceratops

Pachycéphalosaure

Pelacanimimus

Ténontosaure

Stenonychosaurus

Ornitholestes

Deinonychus

Bambiraptor

Gallimimus

Platéosaure

Vélociraptor

Parksosaure

Leaellynasaura

Eoraptor

Kannemeyeria

Camptosaure

Oviraptor

Coelophysis

Compsognathus

...saurus

Thérizinosaure

Tricératops

Pentaceratops

Centrosaure

Maiasaura

Iguanodon

...ratosaure

Stégosaure

Ankylosaure

Baryonyx

Tyrannosaure

Parasaurolophe

Allosaure

Edmontosaure

Giganotosaure

Sauroposeidon

Brachiosaure

Cétiosaure

Camarasaurus

Diplodocus

Mamenchisaure

INDEX

A

Albertosaure, 112, 113
Allosaure, 86, 87
Amphibien, 11,12, 50, 51
Anatotitan, 106, 107
Ankylosaure, 128, 129
Anurognathus, 89
Apatosaure, 74, 75
Archéoptéryx, 78, 79,
Archosaure, 54, 55, 56,
Avimimus, 122, 123

B

Bambiraptor, 118, 119
Baryonyx, 124, 125
Bipède, 42, 115
Brachiosaure, 38,39

C

Camarasaurus, 73
Camptosaure, 46
Carcharodontosaure, 100, 101
Cénozoïque, 8, 9
Centrosaure, 120, 121
Cératopsien, 47
Cératosaure, 82, 83
Cétiosaure, 41
Chasmatosaurus, 54
Coelophysis, 16, 46, 62
Compsognathus, 39, 60, 76, 79
Corythosaure, 17, 98, 99
Crétacé, 96 à 143
Cynognathus, 52, 53

D

Dasplétosaure, 106, 107
Deinonychus, 104, 105
Deinosuchus, 120, 121
Dicraeosaurus, 73
Didelphodon, 114, 115
Dilophosaure, 84, 85
Dimorphodon, 77
Dinilysia, 123
Diplodocus, 80, 81

E

Edmontosaure, 98, 99
Elasmosaure, 130, 131
Eoraptor, 16, 46, 58
Erythrosuchus, 54, 60
Eudimorphodon, 56
Euparkeria, 55

F

Fossile, 20, 21

G

Gallimimus, 41, 153
Gastrolithe, 88
Giganotosaure, 112, 113
Globidens, 137

H

Hadrosaure, 98, 99
Hypsilophodon, 39

I

Ichthyornis, 107
Ichthyosaurus, 94, 95
Iguane, 24, 25
Iguanodon, 24, 25

J

Jurassique, 70 à 95

K

kannemeyeria, 150, 151
kolasuchus, 134

L

Leaellynasaura, 134, 135
Leedsichthys, 90, 91
Liopleurodon, 90, 91
Lystrosaurus, 52, 53

M

Maiasaura, 102, 103
Mamenchisaure, 82, 83, 84, 85
Mantell Gidéon, 24
Mastodonsaurus, 50
Mégalosaure, 33, 80
Mégazostrodon, 65
Mésozoïque, 8, 9
Mononykus, 47
Mosasaure, 136, 137
Muttaburrasaurus, 134, 135

N

Nothosaurus, 67

O

Ornithischiens, 46
Ornithocheirus, 139
Ornitholestes, 41
Ornithopodes, 46
Ornithosuchus, 59
Ovipare, 36, 95
Oviraptor, 126, 127
Owen Richard, 20, 21

P

Pachycéphalosaure, 116, 117
Paléontologue, 20, 21
Paléozoïque, 8, 9
Pangée, 14, 48
Panthalassa, 14
Parasaurolophe, 98, 99
Parksosaure, 118, 119
Pelecanimimus, 125
Pentacératops, 39
Pétéinosaure, 78, 79
Phytosaure, 56, 57
Placerias, 41, 55
Placodus, 66, 69
Platéosaure, 46, 61
Plésiosaure, 95
Pliosaure, 71
Postosuchus, 55
Procompsognathus, 60
Prosauropode, 46
Protocératops, 108, 109
Ptérodactyle, 92
Ptérodaustro, 93
Ptérosaure, 92, 93

Q

Quadrupède, 42
Quetzalcoatlus, 101

R

Rhamphorhynchus, 93
Rutiodon, 57

S

Sang chaud, 44, 45
Sang froid, 44, 45
Saurischien, 46
Sauropode, 46, 72
Sauroposeidon, 152
Seismosaure, 88, 89, 153
Stégosaure, 86, 87
Stenonychosaurus, 114, 115

T

Ténontosaure, 104, 105
Thérizinosaure, 132, 133, 153
Théropode, 46
Triadobatrachus, 50
Trias, 48 à 69
Triceratops, 110, 111
Troodon, 115, 153
Tyrannosaure, 128, 129

V

Vélociraptor, 108, 109
Vivipare, 95